'Cystal bob tamaid a[...]'
@Say[...]

'Fe wna i drysori'r llyfr hwn am byth'
@GracieActually

'Llyfr gwirioneddol wych ac un y dylai pawb ei ddarllen. Allwn
i ddim ei roi o'r neilltu'
@Coops_Kay

'Hyfryd a chadarnhaol a'r union beth oedd ei angen arna i'
@destinyischoice

'Hoffwn fod wedi ei roi i mi fy hun pan oeddwn i'n 19'
@katiedawson23

'Addysg a gobaith yn un'
@mentalbattle

'Nid yn unig mae *Rhesymau Dros Aros yn Fyw* yn deimladwy a
chynnes, mae'n llyfr hanfodol i'w ddarllen'
@Pphunt

'Mae hwn yn llyfr bach pwysig iawn'
@HollieNuisance

RHESYMAU DROS AROS YN FYW

RHESYMAU DROS AROS YN FYW

Matt Haig

Cyhoeddwyd gyntaf yng Nghymru yn 2020
© Hawlfraint Matt Haig 2015
Darnau o *Notes on a Nervous Planet* © Hawlfraint Matt Haig 2018
Addasiad: Testun Cyf.

Arddelir hawl foesol yr awdur

Dymuna'r cyhoeddwyr gydnabod cymorth ariannol
Cyngor Llyfrau Cymru

Rhif Llyfr Rhyngwladol: 978 1 78461 883 4

Cyhoeddwyd gyntaf ym Mhrydain yn 2015 gan Canongate Books Ltd,
14 High Street, Caeredin EH11TE canongate.co.uk

Gwnaed pob ymdrech i olrhain deiliaid hawlfraint a sicrhau eu caniatâd
i ddefnyddio deunydd hawlfraint. Mae'r cyhoeddwr yn ymddiheuro
am unrhyw wallau neu hepgoriadau a byddai'n ddiolchgar pe bai'n
cael gwybod am unrhyw gywiriadau y dylid eu hymgorffori mewn
ailargraffiadau o'r llyfr hwn yn y dyfodol.

Cyhoeddwyd ac argraffwyd yng Nghymru
ar bapur o goedwigoedd cynaliadwy gan
Y Lolfa Cyf., Talybont, Ceredigion SY24 5HE
e-bost ylolfa@ylolfa.com
gwefan www.ylolfa.com
ffôn 01970 832 304
ffacs 01970 832 782

I Andrea

Mae'r llyfr hwn yn amhosib

DAIR BLYNEDD AR ddeg yn ôl, roeddwn i'n gwybod na allai hyn ddigwydd.

Chi'n gweld, roeddwn i ar farw. Neu fynd yn wallgof.

Go brin y byddwn i'n dal yma. Weithiau, roeddwn i'n amau a fyddwn i hyd yn oed yn goroesi'r deg munud nesaf. A byddai'r syniad y byddwn i'n ddigon iach ac yn ddigon hyderus i ysgrifennu amdano fel hyn wedi bod yn llawer gormod i'w gredu.

Un o brif symptomau iselder yw diffyg gobaith. Dim dyfodol. Anghofiwch am olau ym mhen draw'r twnnel, mae'n teimlo fel pe bai dau ben y twnnel wedi eu cau, a chithau'n sownd yn y canol. Felly, pe bawn i ond yn ymwybodol y byddai'r dyfodol yn llawer disgleiriach nag unrhyw beth a brofais o'r blaen, yna fe fyddwn wedi ffrwydro un rhan o'r twnnel hwnnw'n rhacs jibidêrs er mwyn wynebu'r goleuni. Felly mae'r ffaith fod y llyfr hwn yn bodoli yn brawf bod iselder yn dweud celwyddau. Bod iselder yn gwneud i chi feddwl pethau sy'n anghywir.

Ond dydy iselder ei hun ddim yn gelwydd. Dyma'r peth mwyaf real a brofais erioed. Ond mae'n anweledig, wrth gwrs.

I bobl eraill, mae'n gallu ymddangos fel pe bai'n ddim byd o gwbl. Rydych chi'n cerdded o gwmpas a'ch pen ar dân, ond all neb weld y fflamau. Ac felly – gan fod iselder ar y cyfan yn anweledig ac yn dipyn o ddirgelwch – mae'n hawdd i'r stigma barhau. Mae stigma'n arbennig o greulon i rai sy'n dioddef iselder, gan fod stigma'n effeithio ar feddyliau, ac afiechyd y meddyliau yw iselder.

Pan fyddwch chi'n teimlo'n isel, rydych chi'n teimlo'n unig, ac yn teimlo nad oes neb yn profi'n union yr hyn rydych chi'n ei brofi. Rydych chi mor ofnus o ymddangos yn wallgof nes eich bod yn cadw popeth y tu mewn i chi, ac rydych chi mor ofnus y bydd pobl yn eich dieithrio ymhellach fel eich bod chi'n mynd i'ch cragen a ddim yn trafod y peth, sy'n drueni, am fod siarad amdano'n helpu. Geiriau – ar lafar neu ar bapur – yw'r hyn sy'n ein cysylltu â'r byd, ac felly mae trafod y peth gyda phobl, ac ysgrifennu amdano, yn ein helpu i gysylltu â'n gilydd, ac â'n gwir hunain.

Dwi'n gwybod yn iawn – bodau dynol ydyn ni. Mae yna elfen o ddirgelwch i ni fel rhywogaeth. Yn wahanol i greaduriaid eraill, rydyn ni'n gwisgo dillad ac yn mynd ati i atgenhedlu y tu ôl i ddrysau caeedig. Ac rydyn ni'n cywilyddio pan aiff pethau o chwith. Ond fe dyfwn ni allan o hyn, a'r ffordd y byddwn ni'n gwneud hynny yw trwy siarad amdano. Ac efallai hyd yn oed trwy ddarllen ac ysgrifennu amdano.

Dwi'n credu hynny. Oherwydd trwy ddarllen ac ysgrifennu y cefais i ryw fath o achubiaeth rhag y tywyllwch dudew. Roeddwn i eisiau ysgrifennu llyfr am fy mhrofiad byth ers i mi sylweddoli bod iselder wedi palu celwyddau am fy nyfodol, er mwyn mynd i'r afael ag iselder a gorbryder unwaith ac am byth. Felly, mae dau nod i'r llyfr hwn. Lleihau'r stigma ac yna – uchelgais mwy delfrydgar efallai – ceisio argyhoeddi pobl o ddifri nad o waelod y cwm y mae'r olygfa orau. Ysgrifennais hwn am mai'r hen ystrydebau yw'r gwirioneddau pennaf. Amser yw'r meddyg gorau. *Mae* goleuni ym mhen draw'r twnnel, hyd yn oed os na allwch chi ei weld. Ac mae yna gynnig dau-am-bris-un ar 'daw eto haul ar fryn'. Mae geiriau, weithiau, yn gallu'ch gollwng yn rhydd.

Nodyn, cyn i ni gychwyn arni o ddifri

MAE MEDDYLIAU'N UNIGRYW. Maen nhw'n mynd o chwith mewn ffyrdd unigryw. Aeth fy meddwl i o chwith mewn ffordd fymryn yn wahanol i feddyliau pobl eraill. Er bod ein profiadau'n gorgyffwrdd â phrofiadau pobl eraill, dydy'r profiadau byth yn union yr un fath. Mae labeli cyffredinol fel 'iselder' (a 'gorbryder' ac 'anhwylder panig' ac 'OCD') yn ddefnyddiol, cyn belled â'n bod yn gwerthfawrogi'r ffaith nad yw pobl yn profi'r un pethau'n union bob amser.

Mae iselder yn edrych yn wahanol i bawb. Mae pawb yn teimlo poen yn wahanol, ac i wahanol raddau, ac mae'n ennyn ymatebion gwahanol. Wedi dweud hynny, pe bai'n rhaid i lyfrau adleisio ein hunion brofiadau o'r byd i fod o unrhyw fudd, yna dim ond llyfrau wedi'u hysgrifennu gennym ni'n hunain fyddai'n werth eu darllen.

Does dim ffordd gywir nac anghywir o fod ag iselder, cael pwl o banig neu deimlo ysfa i roi diwedd ar bethau. Maen nhw yr hyn ydyn nhw. Mae teimlo trallod fel ioga – nid camp gystadleuol mohoni. Ond dros y blynyddoedd, dwi wedi cael cysur o ddarllen am bobl eraill sydd wedi dioddef, goroesi a goresgyn anobaith. Mae hynny wedi rhoi gobaith i mi. Dwi'n gobeithio y gall y llyfr hwn wneud yr un peth i chithau.

1
Disgyn

'Ond yn y pen draw, mae rhywun angen mwy o ddewrder i fyw nac i ladd ei hun.'

—Albert Camus, *Marwolaeth Lawen*

Y diwrnod wnes i farw

Dwi'n cofio'r diwrnod y bu'r hen fi farw.

Rhyw syniad sbardunodd y cyfan. Roedd rhywbeth yn mynd o'i le. Dyna'r man cychwyn. Cyn i mi sylweddoli beth oedd o. Ac yna, eiliad neu ddwy'n ddiweddarach, teimlais rywbeth rhyfedd yn fy mhen. Rhyw weithgaredd biolegol yng nghefn fy mhenglog, fymryn uwchben fy ngwddf. Y serebelwm. Rhyw guriad neu ryw gryndod dwys, fel petai glöyn byw yn sownd yno, a rhyw deimlad fel pinnau bach. Doeddwn i ddim eto'n gwybod am yr effeithiau corfforol rhyfedd y byddai iselder a gorbryder yn eu creu. Roeddwn i'n meddwl 'mod i'n mynd i farw. Ac yna dechreuodd fy nghalon ddiffygio. Ac yna dechreuais innau ddiffygio. Suddais, yn gyflym, i ryw realiti newydd clawstroffobig a myglyd. Byddai ymhell dros flwyddyn cyn y byddwn i'n teimlo hyd yn oed yn hanner normal eto.

Cyn hynny, doedd gen i ddim dealltwriaeth nac ymwybyddiaeth go iawn o iselder, ar wahân i'r ffaith fod fy mam wedi dioddef rhywfaint ar ôl i mi gael fy ngeni a bod fy hen nain ar ochr fy nhad wedi cyflawni hunanladdiad.

Felly, roedd yna hanes teuluol mae'n debyg, ond hanes roeddwn i heb feddwl rhyw lawer amdano.

Ta waeth, roeddwn i'n bedair ar hugain oed. Roeddwn i'n byw yn Sbaen – yn un o'r rhannau mwyaf tawel a phrydferth o ynys Ibiza. Roedd hi'n fis Medi. Ymhen pythefnos, fe fyddwn i'n gorfod dychwelyd i Lundain ac i realiti bywyd. Wedi chwe blynedd o fod yn fyfyriwr a gwneud mân swyddi dros yr haf. Roeddwn i wedi ceisio gohirio byw bywyd fel oedolyn cyhyd ag y gallwn i, ac roedd wedi hongian yno fel cwmwl cyson. Cwmwl a oedd bellach yn torri ac yn tywallt ei law drosta i.

Y peth rhyfeddaf am y meddwl yw bod y pethau mwyaf dwys yn gallu digwydd yno, ond fydd neb arall yn gallu eu gweld nhw. Mae'r byd yn codi'i ysgwyddau. Efallai y bydd canhwyllau'ch llygaid yn ymledu. Efallai y byddwch yn mwydro. Eich croen yn disgleirio gan chwys o bosib. Ond fyddai neb a'm gwelodd yn y fila yna wedi gallu gwybod sut roeddwn i'n teimlo, na sylweddoli'r uffern ryfedd roeddwn i'n byw drwyddi, na pham fod marwolaeth yn teimlo fel petai'n syniad eithriadol o gall.

Wnes i ddim gadael fy ngwely am dridiau. Ond wnes i ddim cysgu chwinciad. Byddai fy nghariad Andrea yn dod â gwydraid o ddŵr i mi'n rheolaidd, neu ffrwyth y byddwn i prin yn ei gyffwrdd.

Er bod y ffenest ar agor led y pen i adael yr awyr iach i mewn, roedd yr ystafell yn dal yn llonydd a phoeth. Dwi'n cofio synnu 'mod i'n dal yn fyw. Dwi'n gwybod bod hynny'n swnio'n felodramatig, ond dyna'r unig fath o feddyliau gewch chi i chwarae â nhw gan iselder a phanig. Ta waeth, doedd dim rhyddhad. Roeddwn i eisiau marw. Na. Dydy hynny ddim yn hollol wir. Nid bod yn farw'n benodol, doeddwn i jest ddim eisiau byw. Roedd marwolaeth wastad wedi codi ofn arna i. A dydy marwolaeth ond yn digwydd i bobl sydd wedi byw. Roedd llawer iawn mwy o bobl nad oedden nhw erioed wedi byw. Roeddwn i am fod yn un o'r bobl hynny. Yr hen ffefryn yna o ddymuniad. 'Mod i erioed wedi cael fy ngeni. Cael bod yn un o'r tri chan miliwn o sberm na lwyddon nhw i gyrraedd pen eu taith.

(Y fath rodd oedd bod yn normal! Rydyn ni i gyd yn cerdded ar raffau tynion cudd, a gallen ni lithro unrhyw eiliad a dod wyneb yn wyneb â'r holl erchyllterau dirfodol hynny sydd ynghwsg yng nghefn ein meddyliau.)

Rhyw ystafell ddigon moel oedd hi. Gwely a dwfe gwyn plaen, waliau gwynion. Efallai fod llun ar y wal, ond dwi ddim yn meddwl. Dwi ddim yn cofio gweld un beth bynnag. Roedd llyfr ar erchwyn y gwely. Fe'i codais unwaith a'i roi i lawr. Allwn i ddim canolbwyntio am yr un eiliad. Doedd dim modd i mi fynegi'r profiad hwn yn llawn mewn geiriau, oherwydd roedd y cyfan tu hwnt i eiriau. Roeddwn i'n llythrennol yn methu siarad yn iawn amdano. Roedd geiriau'n ymddangos yn ddibwys ochr yn ochr â'r fath boen.

Dwi'n cofio poeni am Phoebe, fy chwaer iau. Roedd hi yn Awstralia. Roeddwn i'n poeni y byddai hi, oedd â'r eneteg debycaf i mi, yn teimlo'r un fath. Roeddwn i eisiau siarad â hi, gan wybod na allwn i. Yn ystod ein plentyndod, 'nôl gartref yn Swydd Nottingham, fe wnaethon ni ddatblygu ffordd o gyfathrebu fin nos drwy gnocio'r wal rhwng ein llofftydd ni. Bellach, roeddwn i'n cnocio'r fatres gan ddychmygu ei bod hi'n fy nghlywed i ym mhen draw'r byd.

Cnoc. Cnoc. Cnoc.

Doedd termau fel 'iselder' neu 'anhwylder panig' ddim yn fy mhen i. Yn fy niniweidrwydd chwerthinllyd, doeddwn i ddim yn meddwl fod eraill erioed wedi mynd trwy'r un profiad â mi. Gan ei fod yn brofiad mor ddieithr i mi, roeddwn i'n tybio ei fod yn brofiad cwbl estron, mae'n rhaid, i'r rhywogaeth gyfan.

'Andrea, mae gen i ofn.'

'Mae'n iawn. Bydd popeth yn iawn. Mae'n mynd i fod yn iawn.'

'Be sy'n digwydd i mi?'

'Dwi ddim yn gwybod. Ond mae'n mynd i fod yn iawn.'

'Dwi ddim yn deall sut mae hyn yn gallu digwydd.'

Ar y trydydd diwrnod, fe wnes i adael fy stafell a gadael y fila, a mynd allan i ladd fy hun.

Pam mae iselder mor anodd ei ddeall

<small>MAE'N ANWELEDIG.</small>

Nid mater o deimlo 'braidd yn drist' ydy o.

Dydy'r gair ddim yn taro deuddeg. Mae'r gair Saesneg 'depression' yn gwneud i mi feddwl am deiar fflat, pynctiar, rhywbeth llonydd. Efallai fod iselder heb orbryder yn teimlo felly, ond dydy iselder ag ymdeimlad o arswyd ddim yn fflat nac yn llonydd. (Fe wnaeth y bardd Melissa Broder drydar un tro: 'pa dwpsyn alwodd o'n "iselder" ac nid "mae yna ystlumod yn byw yn fy mrest i ac maen nhw'n cymryd llawer iawn o le, o.n. Dwi'n gweld cysgod"?') Ar ei waethaf, rydych chi'n cael eich hun yn dymuno'n daer am unrhyw aflwydd arall, unrhyw boen gorfforol, oherwydd mae'r meddwl yn ddiddiwedd, a gall ei arteithiau – pan maen nhw'n codi – fod yn llawn mor ddiddiwedd.

Gallwch chi fod yn dioddef iselder a theimlo'n hapus, yn union fel y gallwch chi fod yn alcoholig sobor.

Dydy'r hyn sy'n ei achosi ddim yn amlwg bob tro.

Mae'n gallu effeithio ar bobl – miliwnyddion, rhai â llond pen o wallt, pobl briod hapus, pobl sydd newydd lwyddo i gael dyrchafiad, pobl sy'n gallu gwneud dawns y glocsen a gwneud triciau cardiau a chanu'r gitâr, pobl heb frychau amlwg, pobl sy'n sgleinio o hapusrwydd ar-lein – sydd, o'r tu allan, yn ymddangos fel pe na bai ganddyn nhw reswm yn y byd dros deimlo'n ddigalon.

Mae'n ddirgelwch hyd yn oed i'r rheini sy'n dioddef ohono.

Golygfa odidog

ROEDD YR HAUL yn danbaid. Roedd arogleuon pin a heli'r môr yn llenwi'r aer. Dyna lle'r oedd y môr, reit o dan y clogwyni. Ac roedd ymyl y dibyn ychydig gamau i ffwrdd. Prin ugain cam, siŵr o fod. Yr unig gynllun oedd gen i oedd cymryd un cam ar hugain i'r cyfeiriad hwnnw.

'Dwi eisiau marw.'

Roedd yna fadfall wrth fy nhraed. Madfall go iawn. Teimlais ryw fath o feirniadaeth. Welwch chi byth fadfall yn lladd ei hun. Mae madfallod yn oroeswyr. Gallwch chi dorri eu cynffon nhw i ffwrdd a bydd un newydd yn tyfu yn ei lle. Dydyn nhw ddim yn magu gofidiau. Ddim yn mynd yn isel eu hysbryd. Maen nhw'n dal ati, waeth pa mor arw a diffaith yw'r dirwedd. Yn fwy na dim, roeddwn i am fod fel y fadfall honno.

Roedd y fila y tu ôl i mi. Y lle brafiaf i mi fyw ynddo erioed. O'm blaen i, yr olygfa odidocaf a welais erioed. Môr y Canoldir yn disgleirio, fel lliain bwrdd gwyrddlas wedi'i sgeintio â diemwntau, gydag arfordir dramatig o glogwyni calchfaen a thraethau bach gwynion, gwaharddedig o breifat, yn amgylchynu'r cyfan. Darlun a gydweddai'n union â'r diffiniad cyffredin o brydferthwch. Ac eto, allai'r olygfa odidocaf yn y byd ddim fy atal rhag bod eisiau lladd fy hun.

Ychydig dros flwyddyn ynghynt, roeddwn i wedi darllen cryn dipyn o waith Michel Foucault ar gyfer fy MA. Rhan helaeth o *Gwallgofrwydd a Gwareiddiad*. Y syniad y dylid caniatáu i wallgofrwydd fod yn wallgofrwydd. Bod cymdeithas ofnus, ormesol yn barnu bod rhywun sy'n wahanol yn sâl. Ond salwch *oedd* hwn. Nid cael syniad hanner call a dwl. Nid ymddwyn fymryn yn od. Nid darllen Borges neu wrando ar Captain Beefheart neu smygu cetyn neu gael rhithweledigaeth o glamp o siocled Mars anferth. Poen oedd hwn. Roeddwn i wedi bod yn iawn a bellach, yn ddisymwth, doeddwn i ddim. Doeddwn i ddim yn dda. Felly roeddwn i'n sâl. Doedd dim ots ai cymdeithas neu wyddoniaeth oedd ar fai. Allwn i ddim dioddef bod fel hyn am eiliad arall – *allwn i ddim*. Roedd rhaid i mi roi diwedd arnaf fy hun.

Roeddwn i'n mynd i'w wneud o hefyd. Tra oedd fy nghariad yn y fila, ddim callach, yn meddwl mai'r cyfan oedd ei angen arna i oedd awyr iach.

Cerddais, gan gyfri fy nghamau, cyn colli cownt, fy meddwl ar chwâl.

'Paid â jibio,' dywedais wrthyf fy hun. Neu dwi'n meddwl i mi ddweud hynny. 'Paid â jibio.'

Cyrhaeddais ymyl y dibyn. Gallwn stopio'r teimlad hwn trwy gymryd un cam bach arall. Roedd o mor chwerthinllyd o syml – un cam bach – o'i gymharu â'r boen o fod yn fyw.

Nawr, gwrandewch. Os ydych chi erioed wedi credu bod pobl sy'n dioddef iselder eisiau bod yn hapus, rydych chi'n anghywir. Dydyn nhw ddim yn malio'r un daten am y moethusrwydd o fod yn hapus. Y cyfan maen nhw eisiau yw peidio â theimlo'r boen. Dianc rhag meddwl ar dân, lle mae meddyliau'n wenfflam ac yn mygu fel hen eiddo sydd wedi'i losgi'n ulw. Bod yn *normal*. Neu, gan fod normalrwydd yn amhosib, bod yn *wag*. A'r unig ffordd y gallwn i fod yn wag oedd trwy stopio byw. Mae un tynnu un yn gwneud dim.

Ond mewn gwirionedd, doedd o ddim yn hawdd. Y peth rhyfedd am iselder, er eich bod chi'n fwy tueddol o feddwl am roi diwedd ar bopeth, yw eich bod chi'n dal i ofni marwolaeth yr un fath. Yr unig wahaniaeth yw bod y boen o fod yn fyw wedi cynyddu'n aruthrol. Felly, pan glywch chi am rywun yn lladd ei hun mae'n bwysig cofio nad oedd marw yn rhywbeth llai brawychus i'r person hwnnw. Nid 'dewis' yn yr ystyr foesol mohono. Mae moesoli yn ei gylch yn golygu eich bod yn camddeall y sefyllfa.

Sefais yno am sbel. Yn magu digon o blwc i farw, ac yna'r dewrder i fyw. I fod. Peidio â bod. Yno, roedd marwolaeth mor agos. Owns arall o arswyd, a byddai'r glorian wedi disgyn y ffordd arall. Efallai i mi gymryd y cam hwnnw mewn bydysawd arall, ond nid dyma'r bydysawd hwnnw.

Roedd gen i fam a thad a chwaer a chariad. Pedwar unigolyn oedd yn fy ngharu i. Yn yr eiliad honno, roeddwn

i'n dymuno'n fwy na dim byd arall nad oedd gen i neb o
gwbl. Yr un enaid byw. Roedd cariad yn fy nghaethiwo i
yma. A doedden nhw ddim yn gwybod sut beth oedd o,
sut siâp oedd ar fy mhen i. Hwyrach, petaen nhw ond yn
treulio deg munud yn fy mhen i, y bydden nhw'n dweud, 'O
iawn, ocê, dwi'n dallt rŵan. Neidia. Does dim rheswm yn
y byd y dylet ti deimlo'r fath boen. Rhed a neidia a chau dy
lygaid, gwna fo. Wrth gwrs, pe baet ti ar dân, fe allwn i daflu
blanced o dy gwmpas di, ond mae'r fflamau'n anweledig.
Does dim byd allwn ni ei wneud. Felly neidia. Neu rho wn i
mi, ac mi wna i dy saethu di. Ewthanasia.'

Ond nid felly roedd pethau'n gweithio. Os ydych chi'n
dioddef o iselder, mae'r boen yn anweledig.

Hefyd, a bod yn berffaith onest, roedd gen i ofn. Beth pe
bawn i ddim yn marw? Beth pe bawn i wedi fy mharlysu,
ac yn sownd, yn ddisymud, yn y cyflwr hwnnw am byth
bythoedd?

Dwi'n credu bod bywyd bob amser yn darparu rhesymau
dros beidio â marw, os ydyn ni'n gwrando'n ddigon astud.
Gall y rhesymau hynny ddeillio o'n gorffennol – y bobl a'n
magodd ni, efallai, neu ffrindiau neu gariadon – neu o'r
dyfodol – y posibiliadau y bydden ni'n eu diffodd.

Felly, fe wnes i ddal ati a byw. Trois ar fy sawdl yn ôl i'r
fila, a chwydu straen y cyfan allan o'm system.

Sgwrs ar draws amser – rhan un

FI, DDOE: Dwi eisiau marw.

FI, HEDDIW: Wel, dwyt ti ddim am farw.

FI, DDOE: Mae hynny'n ofnadwy.

FI, HEDDIW: Nac ydy. Mae'n beth gwych. Cred di fi.

FI, DDOE: Ond alla i ddim diodde'r boen.

FI, HEDDIW: Dwi'n gwybod. Ond mae'n rhaid i ti. A bydd o werth o.

FI, DDOE: Pam? Ydy popeth yn berffaith yn y dyfodol?

FI, HEDDIW: Nac ydy, siŵr. Dydy bywyd byth yn berffaith. A dwi'n dal i deimlo'n isel o bryd i'w gilydd. Ond dwi mewn lle gwell. Dydy'r boen byth cynddrwg. Dwi wedi darganfod pwy ydw i. Dwi'n hapus. Rŵan hyn, dwi'n hapus. Mae'r storm yn cilio. Coelia fi.

FI, DDOE: Dwi ddim yn dy goelio di.

FI, HEDDIW: Pam?

FI, DDOE: Rhywun o'r dyfodol wyt ti, a does gen i ddim dyfodol...

FI, HEDDIW: Dwi newydd ddweud wrthyt ti...

Tabledi

DOEDDWN I DDIM wedi bwyta'n iawn ers dyddiau. Doeddwn i ddim wedi sylwi pa mor llwglyd oeddwn i oherwydd yr holl bethau gwallgof eraill oedd yn digwydd i 'nghorff a'm hymennydd. Dywedodd Andrea fod angen i mi fwyta. Aeth i'r oergell ac estyn carton o sudd *gazpacho* Don Simon (maen nhw'n ei werthu fel sudd ffrwythau yn Sbaen).

'Yfa hwn,' meddai, gan agor y caead a'i basio i mi.

Cymerais lymaid bach. O'r eiliad y cefais flas ohono sylweddolais pa mor llwglyd oeddwn i, felly llyncais ragor yn awchus. Roeddwn i wedi yfed hanner y carton, mae'n siŵr, cyn i mi orfod mynd allan i chwydu eto. Iawn, dwi'n cyfaddef efallai nad chwydu ar ôl yfed *gazpacho* Don Simon oedd yr arwydd cliriaf o salwch, ond doedd Andrea ddim am fentro.

'O mam fach,' meddai. ''Dan ni'n mynd rŵan'.

'Ble?' holais.

'I'r ganolfan feddygol.'

'Ond fe fyddan nhw'n fy ngorfodi i i gymryd tabledi,' atebais. 'Alla i ddim cymryd tabledi.'

'Matt. Ti *angen* tabledi. Rwyt ti wedi hen basio'r pwynt

lle medri di ddewis cymryd tabledi neu beidio. 'Dan ni'n mynd, iawn?'

Fi ychwanegodd y marc cwestiwn yn fan'na, ond dwi ddim wir yn ei gofio fel cwestiwn. Wn i ddim sut atebais i, ond dwi'n gwybod ein bod ni wedi mynd i'r ganolfan feddygol. Ac i mi gael tabledi.

Astudiodd y meddyg fy nwylo i. Roedden nhw'n crynu. 'Felly pa mor hir barodd y panig?'

'Dydy o ddim wedi stopio go iawn. Mae fy nghalon i'n dal i guro'n rhy gyflym. Dwi'n teimlo'n rhyfedd.' Doedd 'rhyfedd' ddim hyd yn oed yn dod yn agos ati. Dwi ddim yn credu i mi ymhelaethu, chwaith. Roedd siarad ynddo'i hun yn gymaint o ymdrech.

'Adrenalin yw e. Dyna'r cwbl. Sut mae dy anadlu di? Wyt ti wedi bod yn goranadlu?'

'Naddo. 'Nghalon i sydd. Hynny yw, mae fy anadlu i'n teimlo'n… wel, yn rhyfedd… ond mae popeth yn teimlo'n rhyfedd.'

Teimlodd fy nghalon. Teimlodd hi gyda'i law. Dau fys yn erbyn fy mrest. Diflannodd ei wên.

'Wyt ti ar gyffuriau?'

'Nac 'dw!'

'Wyt ti erioed wedi cymryd rhai?'

'Yn ystod fy mywyd, do. Ond ddim yr wythnos yma. Ond dwi wedi bod yn yfed cryn dipyn.'

'*Vale, vale, vale*,' meddai. 'Rwyt ti angen *diazepam*. Y dos mwyaf. Y dos mwyaf alla i ei roi i ti.' Mewn gwlad lle mae cael *diazepam* dros y cownter mor rhwydd â chael *paracetamol* neu *ibuprofen*, roedd o'n beth reit arwyddocaol i feddyg ei ddweud. 'Bydd y rhain yn dy wella di. Dwi'n addo.'

Gorweddais yno a dychmygu bod y tabledi'n gweithio. Am ychydig, gostyngodd y panig i lefel o orbryder dwfn. Ond y cwbl wnaeth y teimlad byrhoedlog hwnnw o ymlacio oedd sbarduno mwy fyth o banig. Ac agor y llifddorau. Teimlais bopeth yn cael ei dynnu oddi wrthyf, fel yr adeg pan mae Brody'n eistedd ar y traeth yn *Jaws* ac yn meddwl ei fod wedi gweld y siarc. Roeddwn i'n gorwedd yno ar y soffa ond yn teimlo'n llythrennol fy mod i'n cael fy nhynnu i ffwrdd. Fel petai rhywbeth yn fy llusgo i ymhellach fyth oddi wrth realiti.

Lladdwr

HUNANLADDIAD BELLACH YW un o brif achosion marwolaeth
– mewn gwledydd sy'n cynnwys y Deyrnas Unedig a'r Unol
Daleithiau – ac mae'n gyfrifol am fwy nag un o bob cant o
farwolaethau. Yn ôl ffigurau Sefydliad Iechyd y Byd, mae'n
lladd mwy o bobl na chanser y stumog, sirosis yr iau, canser
y colon, canser y fron a chlefyd Alzheimer. Gan fod pobl sy'n
lladd eu hunain, yn amlach na pheidio, yn dioddef iselder,
iselder yw un o glefydau mwyaf angheuol y blaned. Mae'n
lladd mwy o bobl na'r rhan fwyaf o fathau eraill o drais
– rhyfel, terfysgaeth, cam-drin domestig, ymosodiadau,
troseddau saethu – gyda'i gilydd.

Yn fwy syfrdanol fyth, mae iselder yn glefyd mor ddrwg
fel bod pobl yn lladd eu hunain o'i herwydd mewn ffordd
nad ydyn nhw gydag unrhyw afiechyd arall. Ac eto, mae
pobl yn dal i feddwl nad yw iselder *cynddrwg â hynny*. Fel
arall, go brin y bydden nhw'n dweud y pethau maen nhw'n
eu dweud.

Pethau mae pobl yn eu dweud wrth rai sydd ag iselder nad ydyn nhw'n eu dweud mewn sefyllfaoedd eraill lle mae bywyd yn y fantol

'Ty'd 'laen, dwi'n gwybod bod gen ti'r diciáu, ond fe allai pethau fod yn waeth. O leia does neb wedi marw.'

'Pam wyt ti'n meddwl bod gen ti ganser y stumog?'

'Ydw, dwi'n gwybod fod canser y colon yn anodd, ond tria di fyw efo rhywun sydd efo'r cyflwr. Diawcs erioed. Mae'n hunllef.'

'Alzheimer, ddudist ti? Paid â son. Dwi'n 'i gael o rownd y ril.'

'A, llid yr ymennydd. Ty'd o 'na, yn y meddwl mae hanner y frwydr.'

'Iawn, *mae* dy goes di ar dân, ond dydy siarad amdano rownd y ril ddim yn helpu pethau, nac 'di?'

'Ocê. Iawn. Iawn. Efallai fod dy barasiwt di wedi methu agor. Ond ty'd o 'na – cwyd dy galon.'

Plasebo negyddol

WNAETH MEDDYGINIAETH DDIM gweithio i mi. Dwi'n meddwl mai fi oedd ar fai yn rhannol.

Meddai Ben Goldacre yn *Bad Science*, 'Rydych chi'n ymatebydd i blasebo. Mae eich corff chi'n chwarae triciau ar eich meddwl. Does dim modd ymddiried ynoch.' Mae hyn yn wir, ac mae'n gweithio'r ddwy ffordd, siawns. Yn ystod fy nghyfnod tywyllaf, pan oedd fy iselder yn mynd law yn llaw ag anhwylder panig 24/7, roedd gen i ofn popeth. Roedd gen i ofn fy nghysgod fy hun, yn llythrennol. Pe bawn i'n edrych ar wrthrych – esgid, clustog, cwmwl – yn ddigon hir, yna fe fyddwn i'n gweld rhyw falais ynddyn nhw, rhyw rym negyddol y byddwn i, mewn canrif gynharach a mwy ofergoelus, o bosib wedi'i ddehongli fel y Diafol. Ond yr hyn roeddwn i'n ei ofni fwyaf oedd cyffuriau neu unrhyw beth (alcohol, diffyg cwsg, newyddion sydyn, hyd yn oed tylino'r corff) a fyddai'n newid fy nghyflwr meddyliol.

Yn ddiweddarach, yn ystod pyliau llai o orbryder, fe fyddwn yn cael fy hun yn mwynhau alcohol yn ormodol. Mae'r teimlad cynnes braf hwnnw yn rhoi cymaint o gysur fel eich bod yn anghofio am y pen mawr a ddaw yn ei dro.

Wedi cyfarfodydd pwysig fe fyddwn i'n mynd i fariau ar fy mhen fy hun, ac yn slotian drwy'r prynhawn nes 'mod i bron â cholli'r trên olaf adref. Ond ym 1999, roeddwn i flynyddoedd i ffwrdd o fod yn ôl ar y lefel gymharol normal hon o ymddygiad diffygiol.

Yr eironi rhyfedd yw mai'r cyfnod pan oeddwn i wir angen i'm meddwl deimlo'n well oedd y cyfnod pan nad oeddwn i am fynd ati i ymyrryd yn bwrpasol â'm meddwl. Nid am nad oeddwn i am fod yn well eto, ond am nad oeddwn i wir yn credu ei bod yn bosib i mi deimlo'n well eto, neu o leiaf roedd hynny'n llawer llai posib na theimlo'n waeth. Ac roedd meddwl am deimlo'n waeth yn arswydus.

Felly, dwi'n credu mai rhan o'r broblem oedd bod yna effaith plasebo yn digwydd o chwith. Fe fyddwn i'n cymryd y *diazepam* ac yn teimlo panig yn syth bìn, a byddai'r panig hwnnw'n gwaethygu yr eiliad y byddwn i'n dechrau teimlo mymryn o effaith y cyffur. Hyd yn oed os oedd yr effaith yn dda.

Fisoedd yn ddiweddarach, byddai rhywbeth tebyg yn digwydd pan ddechreuais i gymryd tabledi eirinllys neu St John's Wort. Byddai'n digwydd i ryw raddau gydag *ibuprofen,* hyd yn oed. Felly mae'n amlwg nad ar y *diazepam* roedd y bai i gyd. A dydy *diazepam* yn sicr ddim ymhlith y cyffuriau cryfaf sydd ar gael. Ac eto, mae'r teimlad o ddatgysylltiad, a lefel y datgysylltiad, a brofais wrth gymryd *diazepam* yn rhywbeth y mae eraill wedi honni ei brofi hefyd, felly dwi'n credu bod y cyffur ei hun (i mi) yn rhan o'r broblem, o leiaf.

Teimlo'r glaw heb ymbarél

MAE MEDDYGINIAETH YN gysyniad hynod ddeniadol. Nid yn
unig i'r unigolyn sydd ag iselder, neu i'r sawl sy'n rhedeg
cwmni fferyllol, ond i gymdeithas yn gyffredinol. Mae'n
tanlinellu'r syniad y mae cannoedd ar filoedd o hysbysebion
teledu wedi ei bledu aton ni sy'n honni bod modd datrys
pob dim drwy brynu pethau. Mae'n meithrin agwedd 'cau-
dy-ben-a-chymer-bilsen' ac yn creu rhaniad 'ni' a 'nhw', lle
gall pawb ymlacio a theimlo bod 'afreswm' – a defnyddio
hoff derm Michel Foucault – yn cael ei gyweirio'n ddiogel
mewn cymdeithas sy'n mynnu ein bod yn normal hyd yn
oed pan fydd hynny yn ein gyrru'n wallgof.

Ond mae cyffuriau gwrthiselder a meddyginiaeth i drin
gorbryder yn dal i'm llenwi ag ofn. Fluoxetine, Venlafaxine,
Propranolol, Zopiclone – dydy'r ffaith eu bod nhw'n swnio
fel dihirod ffugwyddonol ddim yn helpu chwaith.

Yr unig gyffuriau i mi eu cymryd erioed sydd fel petaen
nhw wedi gwneud rhywfaint o les i mi yw tabledi cysgu. Dim
ond un pecyn oedd gen i gan i mi eu prynu nhw yn Sbaen,
lle mae fferyllwyr yn gwisgo cotiau gwynion cysurlon ac yn
siarad fel meddygon. Dwi'n meddwl mai Dormidina oedd

enw'r brand. Wnaethon nhw ddim fy helpu i gysgu ond fe wnaethon nhw fy helpu i fod yn effro heb deimlo arswyd llwyr. Neu fe wnaethon nhw fy mhellhau i oddi wrth yr arswyd hwnnw. Ond roeddwn i'n gwybod hefyd y byddai'n hawdd iawn mynd yn gaeth iddyn nhw, ac mai buan iawn y gallai'r ofn o beidio â chymryd y tabledi fynd yn drech na'r ofn o'u cymryd nhw.

Fe wnaeth y tabledi cysgu fy ngalluogi i weithredu'n ddigon da i allu mynd adref. Dwi'n cofio ein diwrnod olaf yn Sbaen. Roeddwn i'n eistedd yn fud wrth y bwrdd, wrth i Andrea esbonio wrth y rhai roedden ni'n gweithio iddyn nhw ac yn byw gyda nhw i bob pwrpas (eu fila nhw oedd hi, er nad oedden nhw bron byth yno) – Andy a Dawn – ein bod ni'n mynd adref.

Roedd Andy a Dawn yn bobl dda. Roeddwn i'n hoff ohonyn nhw. Roedden nhw rywfaint yn hŷn nag Andrea a minnau, ond wastad yn gwmni rhadlon. Nhw oedd yn gyfrifol am y parti mwyaf yn Ibiza, Manumission, a oedd wedi dechrau fel noson fach yn ardal hoyw Manceinion ychydig flynyddoedd ynghynt cyn datblygu'n rhyw fath o Studio 54 yn ardal Môr y Canoldir. Erbyn 1999, dyma oedd canolbwynt y diwylliant clybio, magned i fawrion fel Kate Moss, Jade Jagger, Irvine Welsh, Jean Paul Gaultier, yr Happy Mondays, Fatboy Slim a miloedd o glybwyr Ewropeaidd. Roedd yn teimlo fel nefoedd ar un adeg, ond bellach roedd y syniad o'r holl gerddoriaeth yna a'r holl bartïwyr yn teimlo fel hunllef.

Ond doedd Andy a Dawn ddim eisiau i Andrea adael.

'Pam na arhosi di yma? Byddai Matt yn iawn. Mae o'n edrych yn iawn.'

'Dydy o ddim yn iawn,' atebodd Andrea. 'Mae o'n sâl.'

Doeddwn i ddim yn foi cyffuriau, ddim yn ôl safonau Ibiza o leiaf. Alcohol oedd fy mheth i. Roeddwn i'n stiwdant tragwyddol oedd yn addoli Bukowski, ac wedi treulio fy holl amser ar yr ynys yn eistedd yn yr haul yn gwerthu tocynnau mewn swyddfa awyr agored gan ddarllen nofelau meysydd awyr a slotian (wrth fy ngwaith yn gwerthu tocynnau fe ddois i'n gyfeillgar gyda chonsuriwr o'r enw Carl a roddodd nofelau John Grisham i mi'n gyfnewid am rai Margaret Atwood a Nietzsche). Ac eto, roeddwn i'n difaru f'enaid 'mod i wedi cymryd unrhyw beth cryfach na choffi yn ystod fy mywyd. Roeddwn i'n sicr yn difaru 'mod i wedi yfed cymaint o boteli o Viña Sol a glaseidiau o fodca a lemwn dros y mis diwethaf, neu 'mod i heb fwyta ambell frecwast go iawn, neu gael ychydig mwy o gwsg.

'Dydy o ddim yn edrych yn sâl.' Roedd gan Dawn rywfaint o gliter yn weddill ar ei hwyneb o ble bynnag fuodd hi'r noson gynt. Roedd y gliter yn peri gofid i mi.

'Mae'n ddrwg gen i,' atebais yn wan, gan ddymuno bod gen i salwch mwy gweladwy.

Roedd yr euogrwydd yn fy mhwnio fel gordd.

Cymerais dabled cysgu arall, yna'r dos pnawn o *diazepam*, ac i ffwrdd â ni i'r maes awyr. Roedd y parti drosodd.

Tra oeddwn i ar *diazepam* neu'r tabledi cysgu, wnes i erioed deimlo fymryn yn nes at 'wella'. Roeddwn i'r un mor sâl ag erioed. Y cyfan y gallai'r tabledi ei wneud, am wn i, oedd rhoi rhyw ymdeimlad o bellter. Roedd y tabledi cysgu'n gorfodi fy ymennydd i arafu rhywfaint, ond roeddwn i'n gwybod nad oedd dim wedi newid mewn gwirionedd. Yn union fel y byddwn i, ychydig flynyddoedd wedyn pan ailgydiais yn yr alcohol, yn aml yn ymdopi â gorbryder cymedrol drwy feddwi, gan wybod yn iawn y byddai yno'n disgwyl amdanaf, gyda phen mawr yn gwmni iddo.

Dwi'n gyndyn o ddatgan 'mod i yn erbyn tabledi yn llwyr oherwydd dwi'n gwybod eu bod nhw'n gweithio i rai pobl. Maen nhw fel petaen nhw'n lleddfu digon ar y boen i rai nes caniatáu i'r broses go iawn o wella ddigwydd. I eraill, maen nhw'n cynnig ateb hirdymor rhannol. Dydy llawer o bobl ddim yn gallu ymdopi hebddyn nhw. Yn fy achos i, ar ôl fy mhyliau dryslyd o banig ar ôl cymryd *diazepam*, roedd gen i gymaint o ofn cymryd tabledi nes i mi wrthod cymryd unrhyw beth yn benodol ar gyfer fy iselder (yn hytrach na phanig a gorbryder).

Yn bersonol, dwi'n falch fy mod i wedi llwyddo i wella fy hun i raddau helaeth heb gymorth meddyginiaeth, a dwi'n teimlo bod profi'r boen heb 'anesthetig' yn golygu 'mod i wedi dysgu adnabod fy mhoen yn dda iawn, gan ddod yn effro i'r symudiadau lleiaf o gynnydd neu ddirywiad yn fy meddwl. Er, dwi'n meddwl weithiau, pe bawn i wedi bod yn ddigon dewr i frwydro yn erbyn y pyliau o banig ynghylch cymryd tabledi, tybed a allai hynny fod wedi lleddfu'r boen. Roedd yn boen mor ddidostur a diddiwedd fel bod meddwl amdano'n ddigon i effeithio ar fy anadlu, a dwi'n gallu teimlo fy nghalon yn rasio. Dwi'n meddwl am yr adeg roeddwn i'n teithio mewn car, a minnau'n cael fy meddiannu gan arswyd llethol. Roedd rhaid i mi godi yn fy sedd, fy mhen yn cyffwrdd â'r to, fy nghorff yn ceisio dringo allan ohono'i hun, yn groen gŵydd drosto, a'r meddwl yn gwibio'n gynt na'r dirwedd dywyll. Byddai wedi bod yn braf peidio byth â bod wedi profi'r math yna o arswyd, a phe bai pilsen wedi helpu, yna fe ddylwn i fod wedi'i chymryd. Pe bawn i wedi gallu cymryd rhywbeth i leddfu'r artaith feddyliol honno, efallai y byddai wedi bod yn haws gwella. Ond trwy beidio â'i chymryd, fe ddois i i adnabod fy hun yn dda iawn. Fe helpodd hyn fi i wybod beth yn union oedd yn gwneud i mi deimlo'n well (ymarfer corff, haul, cwsg, sgyrsiau dwys ac ati), a'r synnwyr hwn o fod yn effro – y teimlad, fel y gwn i'n iawn, o brofiad personol a phrofiad eraill, a all gael ei golli drwy gymryd tabledi – a'm helpodd i godi o'r gwaelodion a dechrau ailadeiladu fy hun o'r newydd. Pe bai cyffuriau wedi fy merwino neu beri'r ymdeimlad hwnnw o ddieithrwch a all ddod yn eu sgil, gallai pethau fod wedi bod yn anoddach.

Dyma eiriau'r Athro Jonathan Rottenberg, seicolegydd esblygol ac awdur *The Depths*, yn 2014 – geiriau sy'n rhoi cysur rhyfedd i rywun:

Sut gallwn ni ffrwyno iselder yn well? Peidiwch â disgwyl pilsen hudol. Un wers a ddysgwyd wrth drin poen cronig yw ei bod yn anodd anwybyddu ymatebion sy'n gynhenid yn y corff a'r meddwl. Yn hytrach, rhaid i ni ddilyn economi'r hwyliau i ble bynnag y bydd yn ein tywys, a mynd i'r afael â'r ffynonellau sy'n arwain cynifer at gyflyrau o hwyliau isel – meddyliwch am batrymau byw sy'n cynnwys gormod o waith a dim digon o gwsg. Mae angen i ni fod yn fwy llythrennog ynghylch ein hwyliau ac yn fwy ymwybodol o bethau sy'n tarfu ar gyflyrau o hwyliau isel cyn iddyn nhw ddatblygu'n gyflyrau mwy hirhoedlog a mwy difrifol. Mae'r rheini'n cynnwys newid sut rydyn ni'n meddwl, y digwyddiadau o'n hamgylch, ein perthynas ag eraill, ac amodau oddi mewn i'n cyrff (drwy ymarfer corff, meddyginiaeth neu ddeiet).

Bywyd

SAITH MIS CYN i mi lyncu'r dabled *diazepam* gyntaf, roeddwn i yn swyddfa cwmni recriwtio yng nghanol Llundain.

'Felly, beth hoffech chi ei wneud efo'ch bywyd?' holodd yr asiant recriwtio. Roedd ganddi wyneb hir, difrifol yr olwg, fel cerflun ar Ynys y Pasg.

'Dwi ddim yn gwybod.'

'Ydych chi'n gweld eich hun fel rhywun ym maes gwerthu?'

'Efallai,' meddwn i'n gelwyddog. Roedd gen i fymryn o ben mawr. (Roedden ni'n byw drws nesaf i dafarn. Roedd tri pheint o lager a Black Russian neu ddau yn rhan o'm defod nosweithiol.) Er nad oedd gen i fawr o glem beth roeddwn i am ei wneud gyda 'mywyd, roeddwn i'n weddol sicr nad oeddwn i am fod yn werthwr.

'A dweud y gwir, mae'ch CV chi braidd yn annelwig. Ond mae'n fis Ebrill. Dydy hi ddim yn dymor graddio. Felly fe ddylen ni allu ffeindio rhywbeth i chi.'

Ac roedd hi'n iawn. Wedi cyfres o gyfweliadau trychinebus, cefais swydd yn gwerthu gofod hysbysebu ar gyfer papur masnach y *Press Gazette* yn Croydon. Roeddwn i dan oruchwyliaeth Iain, boi o Awstralia, a esboniodd hanfodion gwerthu i mi.

'Wyt ti wedi clywed am Aida?' gofynnodd.

'Yr opera?'

'Beth? Na. AIDA. *Attention. Interest. Desire. Action.* Y pedwar cam wrth werthu dros y ffôn. Rwyt ti'n bachu eu sylw nhw, wedyn eu diddordeb, yna eu hawydd i wneud rhywbeth, cyn iddyn nhw ymrwymo i brynu.'

'Iawn.'

Wedyn, meddai o nunlle, 'Mae gen i bidyn anferth.'

'Beth?'

'Ti'n gweld? Dwi wedi bachu dy sylw.'

'Felly, fe ddylwn i drafod fy mhidyn.'

'Na. Dim ond enghraifft oedd hynny.'

'Dwi'n gweld,' atebais, gan syllu ar awyr lwyd Croydon drwy'r ffenest.

Wnes i erioed gyd-dynnu'n wych efo Iain. Do, mi ofynnodd i mi ymuno â'r 'hogie' amser cinio, am beint a gêm o pŵl. Roedd o'n esgus i rannu jôcs budr, trafod pêl-droed a lladd ar eu cariadon. Roeddwn i'n casáu'r peth. Doeddwn i ddim wedi teimlo allan ohoni fel hyn ers pan oeddwn i'n dair ar ddeg. Y cynllun – un Andrea a minnau – oedd cael trefn ar ein bywydau fel nad oedd rhaid i ni ddychwelyd i Ibiza yr haf hwnnw. Ond un awr ginio, fe deimlais i'r llymder ofnadwy yma y tu mewn i mi fel petai cwmwl newydd basio dros fy enaid. Allwn i'n llythrennol ddim stumogi awr arall ar y ffôn gyda phobl nad oedden nhw eisiau cael eu ffonio. Felly, fe wnes i adael y swydd. Cerdded allan. Roeddwn i'n fethiant. Wedi rhoi'r ffidil yn y to. Doedd gen i ddim gronyn o ddim ar y gorwel. Roeddwn i'n llithro i lawr, ac mewn perygl o ildio i salwch a lechai yn y cysgodion. Ond doeddwn i ddim yn sylweddoli hynny. Nac yn malio. Dianc oedd yr unig beth oedd ar fy meddwl i.

Anfeidroldeb

MAE'R CORFF DYNOL yn fwy nag y mae'n edrych. Mae datblygiadau mewn gwyddoniaeth a thechnoleg wedi dangos bod y corff dynol, mewn gwirionedd, yn fydysawd ynddo'i hun. Mae pob un ohonon ni wedi'n creu o tua chan triliwn o gelloedd, a phob cell wedyn yn cynnwys tua'r un faint eto o atomau. Mae hynny'n gryn dipyn o gydrannau gwahanol. Mae gan ein hymennydd ar ei ben ei hun gan biliwn o gelloedd, o fewn biliwn neu ddau.

Ac eto, y rhan fwyaf o'r amser, dydyn ni ddim yn teimlo natur led-anfeidrol ein hunain corfforol. Rydyn ni'n symleiddio pethau trwy feddwl amdanon ni'n hunain o safbwynt ein rhannau mwy. Breichiau, coesau, traed, torso, pen. Cnawd, esgyrn.

Mae rhywbeth tebyg yn digwydd yn ein meddyliau. Er mwyn ymdopi â byw, maen nhw'n symleiddio eu hunain. Yn canolbwyntio ar un peth ar y tro. Ond math o ffiseg cwantwm o feddyliau ac emosiynau yw iselder. Mae'n datgelu'r hyn sydd fel arfer o'r golwg. Mae'n eich datod chi, a phopeth rydych chi wedi'i wybod erioed. Rydyn ni nid yn unig wedi ein creu o'r bydysawd, 'stwff y sêr' chwedl Carl

Sagan, ond rydyn ni lawn mor eang a chymhleth â hwnnw hefyd. Efallai fod y seicolegwyr esblygol yn iawn wedi'r cwbl. Hwyrach ein bod ni fel pobl wedi esblygu'n rhy bell. A'r pris, efallai, am fod yn ddigon deallus fel mai ni yw'r rhywogaeth gyntaf i fod yn gwbl ymwybodol o'r cosmos, yw'r gallu i deimlo gwerth llond bydysawd o dywyllwch.

Y gobaith na wireddwyd

ROEDD MAM A Dad yn y maes awyr. Roedden nhw'n sefyll yno, yn edrych yn flinedig, yn hapus ac yn bryderus, yn gymysg oll i gyd. Fe gofleidion ni. Fe yrron ni'n ôl.

Roeddwn i'n well. Roeddwn i'n well. Roeddwn i wedi gadael fy ellyllon ar ôl wrth Fôr y Canoldir, ac roeddwn i bellach yn iawn. Roeddwn i'n dal ar dabledi cysgu a *diazepam*, ond doeddwn i mo'u hangen nhw. Roeddwn i jest angen bod gartre. Roeddwn i jest angen Mam a Dad. Oeddwn. Roeddwn i'n well. Ar binnau braidd, ond roeddwn i'n well. *Roeddwn i'n well.*

'Roedden ni'n poeni'n henaid,' meddai Mam, ac wyth deg saith amrywiad arall ar y thema honno.

Trodd Mam i edrych arna i o'r sedd flaen, a gwenu. Gwên braidd yn glwyfus oedd hi, a'i llygaid yn llawn dagrau. Fe'i teimlais i o. Pwysau Mam. Y pwysau o fod yn fab oedd wedi mynd o chwith. Y pwysau o gael fy ngharu. Y pwysau o fod yn siom. Y pwysau o fod yn obaith na wireddwyd fel y dylsai.

Ond.

Roeddwn i'n well. Braidd yn giami efallai. Ond roedd

hynny'n ddealladwy. Roeddwn i'n well, yn y bôn. Roedd gobaith i mi lwyddo o hyd. Efallai y byddwn i'n byw nes 'mod i'n naw deg saith. Gallwn fod yn gyfreithiwr, yn llawfeddyg yr ymennydd neu'n fynyddwr neu'n gyfarwyddwr theatr o hyd. Roedd hi'n ddyddiau cynnar. Dyddiau cynnar. Dyddiau cynnar.

Roedd hi'n nos tu allan i'r ffenest. Newark 24. Newark lle cefais fy magu, a'r man roeddwn i'n dychwelyd iddo. Tref farchnad â phoblogaeth o 40,000 o bobl. Lle yr oeddwn i wedi deisyfu dianc ohono erioed, ond roeddwn i'n awr yn dychwelyd. Ond roedd hynny'n iawn. Meddyliais am fy mhlentyndod. Y dyddiau hapus ac anhapus yn yr ysgol, a'r frwydr barhaus am hunan-barch. 24. Roeddwn i'n bedair ar hugain oed. Roedd yr arwydd ffordd fel rhyw ddatganiad gan ffawd. Newark 24. *Roedden ni'n gwybod y byddai hyn yn digwydd.* Y cyfan oedd ar goll oedd fy enw.

Dwi'n cofio cael pryd o fwyd wrth fwrdd y gegin ac roeddwn i braidd yn dawedog, ond yn siarad digon i brofi 'mod i'n iawn a ddim yn gwbl wallgof nac yn isel. *Roeddwn i'n iawn. Doeddwn i ddim yn wallgof nac yn teimlo'n isel.*

Dwi'n meddwl mai pastai bysgod gawson ni. Dwi'n meddwl eu bod nhw wedi ei gwneud hi'n arbennig. Bwyd llawn cysur. Fe wnaeth i mi deimlo'n dda. Roeddwn i'n eistedd o amgylch y bwrdd yn bwyta pastai bysgod. Roedd hi'n hanner awr wedi deg. Fe es i i'r toiled lawr grisiau, a chynnau'r golau gyda chortyn. Rhyw binc tywyll oedd lliw'r toiled lawr grisiau. Cefais bisiad, fflysio'r toiled, a sylweddoli bod fy meddwl yn dechrau newid. Daeth rhyw niwl drosta i, a newidiodd y golau seicolegol.

Roeddwn i'n well. Roeddwn i'n well. Ond un amheuaeth sydd ei angen. Diferyn o inc yn disgyn i wydr clir o ddŵr ac yn cymylu'r cyfan. Felly'r eiliad ar ôl i mi sylweddoli nad oeddwn i'n gwbl iach oedd yr eiliad y sylweddolais i 'mod i'n dal yn andros o sâl.

Y seiclon

MAE AMHEUON FEL gwenoliaid. Yn dilyn ei gilydd yn un haid. Syllais ar fy adlewyrchiad yn y drych. Syllais arno nes gweld wyneb dieithr yn edrych yn ôl. Dychwelais at y bwrdd heb rannu fy nheimladau â neb. Byddai dweud wrth rywun yn arwain at deimlo mwy o'r hyn roeddwn i'n ei deimlo. Byddai ymddwyn yn normal yn gwneud i mi deimlo ychydig yn fwy normal. Wnes i ymddwyn yn normal.

'O, sbïwch faint o'r gloch yw hi,' meddai Mam yn ddramatig tu hwnt. 'Rhaid i mi godi'n gynnar i fynd i'r ysgol fory.' (Roedd hi'n bennaeth ysgol y babanod.)

'Ewch chi i'r gwely,' atebais.

'Ie, ewch chi, Mary,' meddai Andrea. 'Fe wnawn ni'r gwlâu ac ati.'

'Mae yna wely a matres ar lawr yn ei lofft o, ond mae croeso i chi gael ein gwely ni am heno,' meddai Dad.

'Mae'n iawn,' atebais. 'Fe fyddwn ni'n iawn.'

Gwasgodd Dad fy ysgwydd cyn mynd i'w wely. 'Mae'n braf dy gael di yma.'

'Ydy. Mae'n braf bod yma.'

Doeddwn i ddim eisiau crio. Oherwydd a) doeddwn i

ddim am iddo fy ngweld i'n crio a b) pe bawn i'n crio, fe fyddwn i'n teimlo'n waeth. Felly wnes i ddim crio. Fe es i 'ngwely.

A drannoeth wnes i ddeffro, ac roedden nhw yno. Yr iselder a'r gorbryder, law yn llaw. Mae pobl yn disgrifio iselder fel pwysau, ac mae'n gallu bod felly. Gall fod yn bwysau corfforol go iawn, yn ogystal â phwysau trosiadol, emosiynol. Ond dwi ddim yn credu mai pwysau yw'r ffordd orau i ddisgrifio sut roeddwn i'n teimlo. Wrth i mi orwedd ar y fatres ar y llawr – roeddwn i wedi mynnu bod Andrea yn cysgu ar y gwely, nid oherwydd 'mod i'n fonheddig na dim, ond am mai dyna fyddwn i wedi'i wneud pe bawn i'n normal – roeddwn i'n teimlo fy mod i'n sownd mewn seiclon. Yn allanol, i eraill, dros y misoedd nesaf fe fyddwn i'n ymddangos ychydig yn arafach nag arfer, ychydig yn fwy swrth, ond roedd y profiad a oedd yn digwydd yn fy meddwl bob amser yn ddidostur ac yn ormesol o *gyflym*.

Fy symptomau

DYMA RAI O'R pethau eraill roeddwn i hefyd yn eu teimlo:

Fel petai fy adlewyrchiad yn dangos person arall.

Rhyw deimlad pinnau bach, oedd bron yn boenus, yn fy mreichiau, fy nwylo, fy mrest, fy llwnc a hyd yn oed yng nghefn fy mhen.

Methu'n glir â meddwl, hyd oed, am y dyfodol. (Doedd gen i ddim dyfodol, beth bynnag.)

Ofni mynd yn wallgof, cael fy anfon i ysbyty meddwl, neu gael fy rhoi mewn cell mewn gwasgod gaeth.

Hypocondria.

Gorbryder ynghylch gwahanu.

Agoraffobia.

Ymdeimlad parhaus o och a gwae.

Lludded meddyliol.

Lludded corfforol.

Teimlo 'mod i'n ddi-werth.

Y frest yn dynn a phoenau achlysurol.

Teimlo 'mod i'n syrthio wrth sefyll yn stond.

Fy nghoesau a 'mreichiau'n brifo.

Methu siarad weithiau.

Ar goll.

Oer a chwyslyd.

Tristwch diderfyn.

Dychymyg rhywiol mwy byw. (Mae ofn marwolaeth yn aml fel petai'n ei wrthbwyso'i hun gyda meddyliau am ryw.)

Ymdeimlad o ddatgysylltiad, o fod yn llun wedi'i dorri o realaeth arall.

Ysfa i fod yn rhywun/unrhyw un arall.

Diffyg archwaeth (collais ddwy stôn mewn chwe mis).

Cryndod mewnol ('cryndod yr enaid' roeddwn i'n ei alw fo).

Fel petawn i ar fin cael pwl o banig.

Fel petawn i'n anadlu aer rhy denau.

Diffyg cwsg.

Yr angen i chwilio byth a hefyd am arwyddion i'm rhybuddio fy mod i a) yn mynd i farw neu b) yn mynd yn wallgof.

Canfod yr arwyddion hyn. A chredu ynddyn nhw.

Yr awydd i gerdded, a hynny'n gyflym.

Teimladau rhyfedd o *déjà vu*, a phethau a oedd yn teimlo fel atgofion ond heb ddigwydd go iawn. Nid i mi o leiaf.

Gweld rhyw dywyllwch yng nghornel fy llygaid.

Dymuniad i ddiffodd y delweddau hunllefus a welwn weithiau wrth gau fy llygaid.

Yr awydd i gamu allan ohonof i fy hun am gyfnod. Am wythnos, diwrnod, awr. Arglwydd, dim ond am un eiliad.

Ar y pryd, roedd y profiadau hyn mor rhyfedd nes 'mod i'n teimlo mai fi oedd yr unig un yn hanes y byd i'w cael nhw erioed (roedd hyn cyn oes Wikipedia, cofiwch), er bod miliynau lawer yn profi rhywbeth tebyg ar yr un pryd, wrth gwrs. Yn aml fe fyddwn, yn hollol ddigymell, yn dychmygu fy meddwl fel rhyw beiriant eang a thywyll, fel rhywbeth allan o nofel graffeg *steampunk* neu 'agerstalwm', yn frith o bibelli a phedalau a liferi ac offer hydrolig, gyda sŵn, gwreichion a stêm yn tasgu i bob man.

Mae ychwanegu gorbryder at iselder ychydig fel ychwanegu cocên at alcohol. Mae'n cyflymu'r holl brofiad. Os oes gennych chi iselder ar ei ben ei hun, mae eich meddwl yn suddo i gors ac yn colli momentwm. Ychwanegwch orbryder ato, ac mae'r gors bellach yn llawn trobyllau hefyd. Mae'r bwystfilod sydd yno, dan y llaid a'r llaca, yn gwibio o gwmpas yn ddi-baid fel haid o aligetors gorffwyll. Rydych chi ar eich gwyliadwriaeth byth a hefyd. Rydych chi ar eich gwyliadwriaeth hyd ddiffygio bob un eiliad, wrth i chi wneud eich gorau glas i gadw'ch pen uwchben y dŵr, er mwyn anadlu'r un aer â'r bobl o'ch cwmpas chi ar y glannau sy'n llwyddo i anadlu'n gwbl ddidrafferth.

Does gennych chi ddim eiliad. Does gennych chi ddim un eiliad effro yn rhydd o'r arswyd. Nid gormodiaith yw hynny. Rydych chi'n erfyn am un eiliad fechan heb deimlo arswyd, ond dydy'r foment honno byth yn cyrraedd. Nid salwch sy'n effeithio ar un rhan benodol o'r corff yw hwn, rhywbeth y gallwch chi feddwl *y tu hwnt iddo*. Os oes gennych chi boen cefn, gallwch ddweud 'mae 'nghefn i'n fy lladd i', a bydd rhyw fath o fwlch rhyngoch chi a'r boen. Rhywbeth arall yw'r boen dan sylw. Mae'n ymosod ar yr hunan, yn ei flino a hyd yn oed yn ei ysu'n raddol, ond nid yr hunan mohono.

Ond gydag iselder a gorbryder, dydy'r boen ddim yn rhywbeth rydych chi'n meddwl amdano gan mai'r meddwl *ydy* o. Nid chi yw eich cefn, ond chi yw eich meddyliau.

Os yw eich cefn yn brifo, gall frifo'n waeth wrth eistedd. Os yw eich meddwl yn brifo, mae'n brifo wrth feddwl. Ac rydych chi'n teimlo nad oes unrhyw ffordd hawdd, wirioneddol o wneud yr hyn sy'n cyfateb i sefyll eto – er mai celwydd yw'r teimlad hwn yn aml hefyd.

Banc y Dyddiau Du

PAN FYDDWCH CHI'N teimlo'n orbryderus neu'n isel iawn – yn methu'n lân â gadael y tŷ, neu'r soffa, neu feddwl am ddim heblaw'r iselder – gall fod yn annioddefol o anodd. Mae'r dyddiau du yn amrywio. Dydyn nhw ddim i gyd cynddrwg â'i gilydd. Ac mae'r rhai duaf oll, er mor erchyll yw byw drwyddyn nhw, yn ddefnyddiol at y dyfodol. Rydych chi'n eu storio. Banc y dyddiau du. Y diwrnod pan fu raid i chi redeg allan o'r archfarchnad. Y diwrnod roeddech chi mor isel nes eich bod wedi colli'ch tafod. Y diwrnod y gwnaethoch chi i'ch rhieni grio. Y diwrnod pan oeddech chi o fewn dim i hyrddio'ch hun dros y dibyn. Felly, os ydych chi'n cael diwrnod du arall, fe allwch chi ddweud, *Wel, mae hyn yn teimlo'n wael, ond dwi wedi cael rhai gwaeth*. A hyd yn oed pan na allwch chi feddwl am ddiwrnod gwaeth – pan mai'r diwrnod rydych chi'n ei fyw ar hyn o bryd yw'r un gwaethaf rydych chi wedi ei gael erioed – o leiaf rydych chi'n gwybod bod y banc yn bodoli, a'ch bod wedi cadw un arall wrth gefn.

Pethau mae iselder
yn eu dweud wrthych chi

Hei, pen rwd!

Ie, ti!

Beth wyt ti'n feddwl ti'n neud? Pam wyt ti'n trio codi o'r gwely?

Pam wyt ti'n trio gwneud cais am swydd? Pwy ti'n feddwl wyt ti? Mark Zuckerberg?

Aros yn dy wely.

Fe ei di'n honco bost. Fel Van Gogh. Fyddi di wedi torri dy glust i ffwrdd cyn i ni droi.

Pam wyt ti'n crio?

Achos bod angen rhoi'r dillad yn y golch?

Hei. Wyt ti'n cofio dy gi, Murdoch? Mae o 'di marw. Fel dy daid a'th nain.

Bydd pawb rwyt ti wedi'u cyfarfod erioed wedi marw erbyn yr adeg yma'r ganrif nesaf.

Ie. Dim ond casgliad o gelloedd sy'n dadfeilio'n araf ydy pawb rwyt ti'n eu hadnabod.

Edrycha ar y bobl sy'n cerdded y tu allan. Edrych! Fan'na. Tu allan i'r ffenest. Pam na elli di fod fel nhw?

Dyma glustog. Beth am i ni aros yma, edrych arni, a myfyrio ar dristwch diderfyn clustogau.

ON. Dwi newydd gael sbec ar fory. Ac mae'n waeth fyth.

Ffeithiau

PAN FYDDWCH CHI'N sownd yn rhywbeth sy'n teimlo mor afreal, rydych chi'ch chwilio am unrhyw beth i roi synnwyr i chi o ble rydych chi. Roeddwn i'n awchu am wybodaeth. Yn awchu am ffeithiau. Fe fues i'n chwilio amdanyn nhw fel bwiau achub bywyd yn y môr. Ond hen bethau lletchwith ydy ystadegau.

Gall pethau sy'n digwydd yn y meddwl yn aml fod ynghudd. Yn wir, pan es i'n sâl am y tro cyntaf, fe wnes i dreulio llawer o egni yn ceisio ymddangos yn normal. Dydy pobl yn aml ddim yn gwybod eich bod chi'n dioddef tan i chi ddweud wrthyn nhw, a dydy hynny ddim yn digwydd bob amser gydag iselder, yn enwedig os ydych chi'n ddyn (mwy am hynny maes o law). Hefyd, mae ffeithiau wedi newid dros amser. Yn wir, mae cysyniadau a geiriau cyfan yn newid. Doedd iselder ddim yn arfer bod yn iselder. Pwl o'r felan neu felancolia oedd o, ac roedd llawer llai o bobl yn dioddef o hwnnw nag sy'n dioddef o iselder heddiw. Ond ydy hynny'n wir? Neu ydy pobl heddiw'n fwy agored am y fath bethau?

Ta waeth, dyma rywfaint o'r ffeithiau sydd gennym ni ar hyn o bryd.

FFEITHIAU AM HUNANLADDIAD

Hunanladdiad yw prif achos marwolaeth ymhlith dynion dan 35 oed.

Mae cyfraddau hunanladdiad yn amrywio'n fawr, yn dibynnu ar ba ran o'r byd rydych chi'n byw ynddi. Er enghraifft, os ydych chi'n byw ar yr Ynys Las, rydych chi 27 gwaith yn fwy tebygol o ladd eich hun na phetaech chi'n byw yng Ngwlad Groeg.

Mae miliwn o bobl yn lladd eu hunain bob blwyddyn. Mae rhwng deg ac ugain miliwn yn ceisio cyflawni hunanladdiad. Ledled y byd, mae dynion deirgwaith yn fwy tebygol o ladd eu hunain na menywod.

FFEITHIAU AM ISELDER

Mae un o bob pump o bobl yn wynebu iselder ar ryw adeg yn eu bywydau. (Ond yn amlwg, bydd mwy na hynny'n dioddef salwch meddwl.)

Mae tabledi gwrthiselder ar gynnydd ym mhobman, bron. Gwlad yr Iâ sy'n eu defnyddio fwyaf, yna Awstralia, Canada, Denmarc, Sweden, Portiwgal a'r Deyrnas Unedig.

Bydd dwywaith cymaint o fenywod ag o ddynion yn cael pwl difrifol o iselder yn ystod eu hoes.

Cyfuniad o orbryder ac iselder sydd fwyaf cyffredin yn y Deyrnas Unedig, wedyn gorbryder, anhwylder straen wedi trawma, iselder 'pur', ffobiâu, anhwylderau bwyta, OCD ac anhwylder panig.

Mae menywod yn fwy tebygol na dynion o geisio a derbyn triniaeth ar gyfer problemau iechyd meddwl.

Mae'r perygl o ddatblygu iselder tua 40 y cant os cafodd rhiant biolegol ddiagnosis o'r clefyd.

Ffynonellau: Sefydliad Iechyd y Byd, The Guardian, *Mind, Black Dog Institute.*

Pen yn erbyn y ffenest

ROEDDWN I YN ystafell wely fy rhieni. Ar fy mhen fy hun. Roedd Andrea i lawr grisiau, dwi'n meddwl. Beth bynnag, doedd hi ddim efo fi. Dyna lle'r oeddwn i'n sefyll wrth y ffenest, a 'mhen i'n pwyso yn erbyn y gwydr. Un o'r adegau pan oedd yr iselder yno ar ei ben ei hun, heb ei liwio gan orbryder. Mis Hydref oedd hi. Y mis tristaf. Roedd stryd fy rhieni'n llwybr poblogaidd i ganol y dref, felly roedd cryn dipyn o fynd a dod ar y pafin. Roedd rhai o'r bobl hyn yn rhai roeddwn i'n eu hadnabod neu'n gyfarwydd â nhw o 'mhlentyndod, rhywbeth nad oedd ond wedi gorffen yn swyddogol chwe blynedd ynghynt. Er, efallai nad oedd wedi gorffen o gwbl.

Pan fyddwch chi ar eich isaf, rydych chi'n dychmygu – yn anghywir – nad oes yr un enaid byw wedi teimlo cynddrwg â chi. Gweddïais am gael bod ymhlith y bobl hynny. Unrhyw un ohonyn nhw. Y rhai wyth deg oed, y plantos wyth oed, y menywod, y dynion, hyd yn oed eu cŵn. Roeddwn i'n ysu i fodoli yn eu meddyliau nhw. Allwn i ddim diodde'r hunanartaith barhaus fwy nag y gallwn i ymdopi â'm llaw ar stof boeth pan allwn i weld bwcedi o rew o'm cwmpas. Y lludded affwysol o fethu â chanfod unrhyw gysur meddyliol. A phob meddwl cadarnhaol yn cyrraedd pen draw lôn bengaead cyn dechrau.

Fe wnes i grio.

Fues i erioed yn un o'r dynion hynny oedd yn ofni dagrau. Fe fues i'n ffan o'r Cure, er mwyn dyn. Roeddwn i'n 'emo' cyn bod y term wedi ei fathu. Ond yn rhyfedd ddigon, doedd iselder ddim yn achosi i mi grio mor aml â hynny, o ystyried pa mor ddrwg oedd pethau. Dwi'n meddwl mai natur swreal sut roeddwn i'n teimlo oedd ar fai. Y pellter. Roedd dagrau yn fath o iaith, ac roeddwn i'n teimlo fod pob iaith yn bell iawn i ffwrdd oddi wrthyf. Roeddwn i islaw dagrau. Rhywbeth i'w tywallt ym mhurdan oedd dagrau. Ond erbyn i chi gyrraedd uffern, roedd hi'n rhy hwyr. Roedd y dagrau'n llosgi'n ddim cyn iddyn nhw gychwyn hyd yn oed.

Ond nawr, roedden nhw'n llifo. Nid dagrau arferol chwaith. Nid dagrau sy'n cychwyn y tu ôl i'r llygaid. Nage. Roedd y rhain yn tarddu o'r dyfnderoedd. Roedd fy stumog i'n crynu cymaint roedden nhw fel petaen nhw'n dod o'm perfedd. Roedd yr argae wedi chwalu. Ac unwaith y dechreuon nhw doedd dim pall arnyn nhw, hyd yn oed pan ddaeth fy nhad i'r ystafell wely. Syllodd arna i, yn methu deall, er ei bod yn olygfa oedd mor gyfarwydd bellach. Roedd fy mam wedi dioddef iselder ôl-enedigol. Daeth ata i, gweld fy wyneb, ac roedd y dagrau'n heintus. Aeth ei lygaid yn binc a dyfrllyd. Allwn i ddim cofio'r tro diwethaf i mi ei weld yn crio. Ddywedodd o'r un gair o'i ben i ddechrau, dim ond fy nghofleidio. Roeddwn i'n teimlo'r cariad, ac fe wnes i drio crynhoi cymaint o'r cariad hwnnw ag y medrwn. Roeddwn i angen pob owns ohono.

'Mae'n ddrwg gen i,' meddwn – dwi'n meddwl.

'Ty'd 'laen,' meddai'n dawel. 'Gelli di wneud hyn. Ty'd. Pwylla rŵan, Mattie. Bydd rhaid i ti.'

Doedd fy nhad ddim yn dad caled. Roedd yn dad addfwyn, gofalgar, deallus, ond doedd dim gallu hudol ganddo i graffu y tu mewn i 'mhen i.

Roedd yn llygad ei le, wrth gwrs, a fyddwn i ddim wedi dymuno iddo ddweud fawr ddim arall. Ond doedd ganddo ddim clem pa mor anodd roedd hynny'n swnio.

Pwylla.

Doedd gan neb syniad. O'r tu allan, mae rhywun yn gweld eich ffurf gorfforol, yn gweld eich bod yn un crynhoad o gelloedd ac atomau. Ac eto, y tu mewn rydych chi'n teimlo fel petai'r Glec Fawr wedi digwydd. Rydych chi'n teimlo ar goll, wedi'ch chwalu a'ch gwasgaru ar hyd a lled y bydysawd, i'r tywyllwch a'r mudandod maith.

'Mi dria i 'ngora, Dad, mi dria i.'

Dyna'r geiriau yr oedd am eu clywed, felly fe'u dywedais. A dychwelais i rythu ar rai o ysbrydion fy mhlentyndod.

Plentyndod digon cyffredin

YDY SALWCH MEDDWL yn digwydd heb reswm amlwg, neu ydy o yno erioed? Yn ôl Sefydliad Iechyd y Byd, mae bron hanner yr holl anhwylderau meddwl yno ar ryw ffurf neu'i gilydd cyn bod rhywun yn bedair ar ddeg oed.

Pan gefais fy nharo'n wael yn bedair ar hugain, roedd yn teimlo fel rhywbeth arswydus o newydd a sydyn. Cefais blentyndod digon normal a chyffredin. Ond wnes i erioed deimlo'n normal iawn mewn gwirionedd. (Oes unrhyw un?) Un gorbryderus ar y naw oeddwn i fel arfer.

Atgof nodweddiadol fyddai sefyll ar dop y grisiau yn hogyn deg oed, yn gofyn i'r warchodwraig a gawn i aros efo hi tan i fy rhieni ddod yn ôl. Roeddwn i'n crio.

Roedd hi'n glên. Roedd hi'n gadael i mi eistedd gyda hi. Roeddwn i'n meddwl y byd ohoni. Roedd hi'n arogli o fanila ac yn gwisgo crysau-t llac. Jenny oedd ei henw hi. Jenny'r Warchodwraig Oedd yn Byw i Fyny'r Stryd. Ddegawd neu ddau'n ddiweddarach byddai wedi'i thrawsnewid yn Jenny Saville, y seren Britart a oedd yn enwog am ei phaentiadau anferth o ferched noethlymun.

'Wyt ti'n meddwl y byddan nhw adra'n fuan?'

'Ydw,' meddai Jenny'n amyneddgar. 'Wrth gwrs y byddan nhw. Dim ond rhyw filltir i ffwrdd maen nhw. Dydy hynny ddim yn bell iawn, nac'di?'

Roeddwn i'n gwybod hynny.

Ond roeddwn i hefyd yn gwybod y gallen nhw gael eu mygio, eu lladd neu eu bwyta gan gŵn. Chawson nhw ddim, wrth gwrs. Ychydig iawn o drigolion Newark-on-Trent gafodd eu bwyta gan gŵn ar ôl mynd allan ar nos Sadwrn. Fe ddaethon nhw adref. Ond dyna sut roeddwn i'n teimlo gydol fy mhlentyndod, dro ar ôl tro. Bob amser, yn ddiarwybod i mi fy hun, yn dysgu fy hun sut i fod yn orbryderus. Mewn byd o bosibiliadau di-ben-draw, mae posibiliadau poen a cholled a gwahanu parhaol hefyd yn ddi-ben-draw. Felly, mae ofn yn bwydo'r dychymyg, ac fel arall, ymlaen ac ymlaen ac ymlaen, tan nad oes dim ar ôl i'w wneud ond mynd yn wallgof.

A dyma atgof arall. Fymryn yn llai cyffredin, ond ar yr un trywydd. Roeddwn i'n dair ar ddeg. Fe es i a ffrind imi draw at griw o genod o'r un flwyddyn â ni ar gae'r ysgol. Ac eistedd yno. Dyma un o'r genod – un roeddwn i'n ei ffansïo yn fwy na'r byd i gyd – yn edrych arna i cyn troi at ei ffrindiau a'i hwyneb yn llawn ffieidd-dod. Yna, dywedodd rywbeth y byddwn i'n ei gofio chwe blynedd ar hugain yn ddiweddarach pan ysgrifennais ei geiriau mewn llyfr. Meddai: 'Ych a fi. Dwi ddim eisiau'r peth *yna'n* eistedd nesa ata i. Efo'i wep coesau pry cop.' Aeth ymlaen i ymhelaethu, wrth i'r ddaear wrthod fy llyncu i'n llwyr. 'Yr hen flew yna sy'n tyfu o'i fannau geni. Maen nhw'n edrych fel pryfaid cop.'

Tua phump o'r gloch y prynhawn hwnnw, fe es i i'r ystafell molchi gartref a defnyddio rasel fy nhad i siafio'r blewiach oddi ar fy mannau geni. Edrychais ar fy wyneb – roeddwn i'n ei gasáu o. Syllais ar y ddau fan geni amlycaf ar fy wyneb.

Gafaelais yn fy mrwsh dannedd, a'i bwyso yn erbyn fy moch chwith, reit dros fy man geni mwyaf. Caeais fy llygaid yn dynn a dechrau rhwbio'n galed. Fues i'n brwsio a brwsio nes bod gwaed yn diferu i'r sinc, a'm hwyneb yn sgrechian mewn poen ac yn boeth i gyd gan yr holl rwbio.

Daeth fy mam i mewn y diwrnod hwnnw a'm gweld i'n gwaedu.

'Matthew, beth ar y ddaear sydd wedi digwydd i dy wyneb di?'

Daliais hances bapur dros y graith newydd, waedlyd, a mwmial y gwir.

Doeddwn i ddim yn gallu cysgu'r noson honno. Roedd fy moch chwith i'n pwnio mewn poen dan glamp o blastar, ond nid dyna'r rheswm. Meddwl am yr ysgol oeddwn i, a gorfod esbonio pam fod gen i blastar. Roeddwn i'n meddwl am y bydysawd arall hwnnw lle'r oeddwn i wedi marw. A lle byddai'r ferch honno'n clywed fy mod i wedi marw, a'r euogrwydd yn gwneud iddi grio. Meddwl hunanddinistriol, am wn i. Ond un cysurus, braf.

Aeth fy mhlentyndod yn ei flaen. Parhaodd fy

ngorbryder. Roeddwn i'n teimlo fel pysgodyn allan o ddŵr, gyda'm rhieni dosbarth canol, adain chwith, mewn tref ddosbarth gweithiol, adain dde. Pan oeddwn i'n un ar bymtheg oed, cefais fy arestio am ddwyn o siop (*gel* gwallt, Crunchie) a threulio prynhawn dan glo yng nghelloedd yr heddlu. Ond giamocs a gwiriondeb yr arddegau a'r awydd i fod yn rhan o'r criw oedd i'w feio am hynny, nid iselder.

Roeddwn i'n sglefrfyrddiwr gwael, yn cael graddau amrywiol, yn tyfu fy ngwallt mewn steil sgi-wiff, ac yn cario fy ngwyryfdod fel rhyw felltith ganoloesol. Y pethau arferol.

Doeddwn i'n sicr ddim yn perthyn yn llwyr. Roeddwn i fel petawn i'n chwalu'n ddim yng nghwmni pobl, gan ddod yr hyn roedden nhw am i mi fod. Ond yn baradocsaidd, teimlwn ryw ddwyster y tu mewn i mi drwy'r adeg. Doedd gen i ddim syniad beth oedd o, ond roedd yn dal i gronni, fel dŵr y tu ôl i argae. Yn ddiweddarach, pan gefais fy nharo gan iselder a gorbryder go iawn, roeddwn i'n grediniol mai crynhoad oedd o o'r holl deimladau dwys hynny a oedd wedi cael eu llesteirio. Rhyw fath o dorri trwodd. Fel petai eich hunan, os ydych chi'n ei chael hi'n ddigon anodd gadael i'r hunan hwnnw fod yn rhydd, yn torri i mewn, ac yn gorlifo'ch meddyliau mewn ymgais i foddi'r holl hanner fersiynau ffaeledig hynny ohonoch chi'ch hun.

Ymweliad

ROEDD PAUL, FY nghyd-leidr siop ers talwm, yn ystafell fyw fy rhieni. Doeddwn i ddim wedi ei weld ers tro byd, ers dyddiau ysgol. Gallai sawl mileniwm fod wedi mynd heibio. Roedd yn edrych arna i fel pe bawn i'n fachgen ysgol eto. Sut allai beidio â gweld y gwahaniaeth?

'Ti awydd mynd allan nos Sadwrn? Ty'd 'laen. Fel yr hen ddyddia.'

Roedd yn syniad hollol hurt. Allwn i ddim gadael y tŷ heb deimlo arswyd di-ben-draw. 'Alla i ddim.'

'Pam? Be sy?'

'Dwi'm yn teimlo'n dda iawn. Mae 'mhen i ar chwâl braidd.'

'Dyna pam mae angen noson allan dda arnat ti. Os wyt ti'n teimlo'n isel. Ty'd ag Andrea efo ti. Ty'd 'laen, mêt.'

'Paul, ti'm yn dallt...'

Roeddwn i'n gaeth mewn cell. Flynyddoedd ynghynt, ar ôl treulio ychydig oriau mewn cell heddlu oherwydd y siocled Crunchie hwnnw, roeddwn i wedi dod i ofni cael fy nghloi mewn llefydd. Wnes i ddim sylweddoli'ch bod chi'n gallu cael eich cloi y tu mewn i'ch meddwl eich hun. *Rhaid i ti ymddwyn fel dyn*, dywedais wrthyf fi fy hun. Er, fues i erioed yn un da am wneud hynny chwaith.

Dydy bechgyn ddim yn crio

Dwi EISIAU SIARAD am fod yn ddyn.

Mae nifer syfrdanol uwch o ddynion na menywod yn lladd eu hunain. 3:1 yw'r gymhareb yn y Deyrnas Unedig, o gymharu â 6:1 yng Ngwlad Groeg a 4:1 yn yr Unol Daleithiau. Mae hynny'n weddol nodweddiadol. Yn ôl Sefydliad Iechyd y Byd, Tsieina a Hong Kong yw'r unig wledydd yn y byd lle mae mwy o fenywod na dynion yn lladd eu hunain. Ym mhob man arall, mae llawer mwy o ddynion na menywod yn cyflawni hunanladdiad. Mae hyn yn rhyfedd braidd, o gofio bod pob astudiaeth swyddogol yn dangos bod dwywaith cymaint o fenywod yn profi iselder.

Yn y rhan fwyaf o lefydd, felly, mae'n amlwg bod yna rywbeth ynglŷn â bod yn ddyn sy'n golygu eich bod yn fwy tebygol o ladd eich hun. Ac mae yma baradocs hefyd. Os mai symptom o iselder yw hunanladdiad (ac mae hynny'n berffaith wir), yna pam mae mwy o fenywod na dynion yn dioddef iselder? Neu mewn geiriau eraill, pam mae iselder yn fwy angheuol os ydych chi'n ddyn yn hytrach nag yn ddynes?

Mae'r ffaith fod cyfraddau hunanladdiad yn amrywio

rhwng cyfnodau, gwledydd a'r rhywiau yn dangos nad yw hunanladdiad yr un fath yn union i bawb.

Meddyliwch am y Deyrnas Unedig. Fe wnaeth 2,466 o fenywod gyflawni hunanladdiad yma ym 1981. Ddeng mlynedd ar hugain yn ddiweddarach, roedd y ffigur hwnnw bron wedi ei haneru i 1,391. Y ffigurau cyfatebol i ddynion yw 4,129 a 4,590.

Felly, yn ôl ym 1981, pan ddechreuodd cofnodion y Swyddfa Ystadegau Gwladol, roedd dynion yn dal yn fwy tebygol o ladd eu hunain na menywod, ond dim ond 1.9 o weithiau yn fwy tebygol. Bellach, maen nhw 3.5 gwaith yn fwy tebygol.

Pam mae cymaint o ddynion yn lladd eu hunain? Beth sy'n mynd o'i le?

Yr ateb mwyaf cyffredin yw bod dynion, yn draddodiadol, yn gweld salwch meddwl fel arwydd o wendid ac yn gyndyn o ofyn am gymorth.

Dydy bechgyn ddim yn crio. Ond maen nhw. Rydyn ni yn ei wneud o. Dwi'n ei wneud o. Dwi'n crio drwy'r amser. (Fe griais i'r prynhawn yma, wrth wylio *Boyhood*.) Ac mae dynion – a bechgyn – yn cyflawni hunanladdiad. Mae Jack Gladney, cymeriad gorbryderus yr awdur Don DeLillo yn *White Noise*, wedi'i boenydio gan y cysyniad o wroldeb a sut siâp sydd arno fel dyn: 'Beth yn y byd allai fod yn fwy diwerth na dyn sy'n methu trwsio tap sy'n diferu – dyn cwbl dda i ddim, sy'n fyddar i hanes, i'r negeseuon yn ei enynnau?' Beth os mai'r meddwl, ac nid tap, sydd wedi torri? Efallai y byddai dyn sy'n poeni am ei wroldeb yn teimlo y dylai allu trwsio hwnnw ar ei ben ei hun hefyd, gyda dim byd ond tawelwch yng nghanol 'sŵn gwyn' bywyd modern a hwyrach ychydig litrau o gwrw.

Os ydych chi'n ddyn neu'n ddynes sydd â phroblemau iechyd meddwl, rydych chi'n rhan o grŵp mawr iawn sy'n prysur dyfu. Mae rhai o'r bobl enwocaf ac, yn wir, rhai o'r bobl fwyaf gwydn yn ein hanes, wedi dioddef iselder. Gwleidyddion, gofodwyr, beirdd, arlunwyr, athronwyr, gwyddonwyr, mathemategwyr (llond gwlad o fathemategwyr), actorion, paffwyr, heddychwyr, arweinwyr rhyfel, a biliwn o bobl eraill fu'n ymladd eu brwydrau eu hunain.

Dydych chi ddim yn llai nac yn fwy o ddyn neu ddynes neu o fod dynol am fod gennych chi iselder nag y byddech chi o gael canser neu glefyd cardiofasgwlaidd neu ddamwain car.

Felly beth ddylen ni ei wneud? Siarad. Gwrando. Annog pobl i siarad. Annog pobl i wrando. Dal ati i ychwanegu at y sgwrs. Cadw llygad am bwy bynnag fyddai'n hoffi ymuno â'r sgwrs. Pwysleisio dro ar ôl tro nad yw iselder yn rhywbeth rydych chi'n 'cyfaddef ei fod gennych', yn rhywbeth i gochi mewn cywilydd amdano – mae'n brofiad dynol. Profiad bachgen-merch-dyn-dynes-hen-ifanc-du-gwyn-hoyw-strêt-cyfoethog-tlawd. Nid *chi* ydy o. Dim ond rhywbeth sy'n digwydd *i* chi. Rhywbeth y mae modd ei leddfu'n aml trwy siarad. Geiriau. Cysur. Cefnogaeth. Fe gymerodd hi dros ddegawd i mi allu siarad yn onest ac yn agored, go iawn, â phawb, am fy mhrofiad. Buan y dysgais fod y weithred o siarad yn therapi ynddi'i hun. Lle bo sgwrs, mae gobaith.

2
Glanio

'... unwaith mae'r storm drosodd, fyddwch chi ddim yn cofio sut daethoch chi drwyddi, sut gwnaethoch chi lwyddo i oroesi. A dweud y gwir, fyddwch chi ddim hyd yn oed yn siŵr a yw'r storm drosodd o ddifri. Ond mae un peth yn sicr. Pan ddewch chi allan o'r storm, fyddwch chi ddim yr un person â'r sawl a gerddodd i mewn iddi. Dyna hanfod y storm hon.'

—Haruki Murakami, *Kafka on the Shore*

Blodau ceirios

UN O SGILEFFEITHIAU iselder yw eich bod chi weithiau'n mynd yn obsesiynol ynglŷn â'r ffordd mae eich ymennydd yn gweithio.

Yn ystod fy chwalfa i, a minnau'n ôl gartref yn byw gyda fy rhieni, roeddwn i'n arfer dychmygu estyn i mewn i fy mhenglog fy hun a chael gwared ar y rhannau ohono a oedd yn peri i mi deimlo'n wael. O siarad â phobl eraill sydd ag iselder, a hyd yn oed ddarllen amdano mewn llyfrau eraill, mae hyn yn ymddangos yn ffantasi gyffredin. Ond pa rannau fyddwn i wedi cael gwared arnyn nhw? Fyddwn i wedi tynnu darn solet cyfan, neu ryw ddarn bychan, mwy gwlyb?

Unwaith, yn ystod pwl o hwyliau isel, eisteddais ar fainc yn Park Square, Leeds. Dyma'r rhan sidêt o ganol y ddinas. Tai mawr Fictoraidd wedi'u troi'n swyddfeydd cyfreithwyr. Syllais ar goeden geirios a theimlo'n fflat. Iselder, heb orbryder. Diflastod llwyr ac enbyd. Doeddwn i prin yn gallu symud. Wrth gwrs, roedd Andrea gyda mi. Wnes i ddim sôn wrthi hi pa mor wael roeddwn i'n teimlo. Dim ond eistedd yno'n syllu ar y blodau pinc a'r canghennau. Yn dymuno y gallai'r meddyliau hedfan allan o 'mhen i mor hawdd â'r petalau'n hedfan oddi ar y goeden. Dechreuais grio. Yn gyhoeddus. Yn ysu am fod yn goeden geirios.

Mwya'n byd o ymchwil wnewch chi i iselder, mwya'n byd y dewch chi i sylweddoli ei fod o hyd yn cael ei nodweddu gan anwybodaeth yn fwy na gwybodaeth. Mae 90 y cant ohono'n parhau'n ddirgelwch.

Anwybodaeth

FEL Y DYWED Dr David Adam yn ei gyfrol wych am anhwylder gorfodaeth obsesiynol, *The Man Who Couldn't Stop*: 'Dim ond ffŵl neu gelwyddgi fydd yn dweud wrthych chi sut mae'r ymennydd yn gweithio.'

Nid tostiwr yw'r ymennydd. Mae'n gymhleth. Efallai nad yw'n pwyso fawr mwy na chilogram, ond mae'r cilogram hwnnw'n cynnwys oes gyfan o atgofion.

Mae'n bryderus o hudolus, gan ei fod yn gwneud cymaint heb i neb ohonon ni ddeall o hyd sut a pham. Fel popeth arall, mae wedi'i greu o atomau a ffurfiwyd mewn sêr filiynau o flynyddoedd yn ôl. Eto, rydyn ni'n gwybod mwy am y sêr pellennig hynny na phrosesau ein hymennydd, yr unig beth yn yr holl fydysawd sy'n gallu meddwl am, wel, yr holl fydysawd.

Mae llawer o bobl yn dal i gredu mai mater o anghydbwysedd cemegol yw iselder.

'Cemegion yn bennaf oedd wrth wraidd gwallgofrwydd,' meddai Kurt Vonnegut, yn *Breakfast of Champions*. 'Roedd corff Dwayne Hoover yn cynhyrchu rhai cemegion a oedd yn gyrru'i feddwl oddi ar ei echel.'

Mae'n syniad deniadol. Ac yn un sydd wedi ei gefnogi gan nifer o astudiaethau gwyddonol ar hyd y blynyddoedd.

Mae llawer o'r ymchwil i achosion gwyddonol iselder wedi canolbwyntio ar gemegau fel dopamin ac, yn amlach, serotonin. Niwrodrosglwyddydd yw serotonin, sef math o gemegyn sy'n anfon signalau o un rhan o'r ymennydd i'r llall.

Y ddamcaniaeth yw bod anghydbwysedd mewn lefelau serotonin – pan na fydd digon o serotonin yn cael ei gynhyrchu gan gelloedd yr ymennydd – yn gyfystyr ag iselder. Felly dydy hi fawr o syndod fod y rhan fwyaf o feddyginiaethau gwrthiselder, o Prozac i lawr, yn gyffuriau SSRI – atalyddion ailafael serotonin-benodol (*selective serotonin reuptake inhibitors*) – sy'n cynyddu lefelau serotonin yn yr ymennydd.

Fodd bynnag, mae'r ddamcaniaeth ynghylch serotonin ac iselder yn ymddangos braidd yn simsan.

Mae'r broblem wedi'i hamlygu gan ddatblygiad cyffuriau gwrthiselder sy'n cael dim effaith ar serotonin, a rhai sy'n gwneud y gwrthwyneb yn llwyr i gyffuriau SSRI (sef *hyrwyddwyr* ailafael serotonin-benodol, fel *tianapetine*) sydd wedi profi'r un mor effeithiol wrth drin iselder. Ychwanegwch at hyn y ffaith ei bod yn anodd mesur lefel serotonin mewn ymennydd dynol byw, ac mae'r darlun yn un hynod o annelwig.

Yn ôl yn 2008, roedd Ben Goldacre yn y *Guardian* eisoes yn cwestiynu'r model serotonin: 'Mae cwacs o'r diwydiant ffarmacoleg $600 biliwn yn gwerthu'r syniad fod iselder yn cael ei achosi gan lefelau serotonin isel yn eich ymennydd, ac felly'ch bod chi angen cyffuriau sy'n codi lefelau serotonin yn eich ymennydd... dyna'r ddamcaniaeth serotonin. Bu'n ddamcaniaeth simsan erioed, ac mae'r dystiolaeth bellach yn hynod o anghyson â hi.'

Felly dydy gwyddonwyr ddim yn canu o'r un daflen, sy'n dipyn o gur pen. Dydy rhai ddim hyd yn oed yn credu bod taflen yn bodoli. Mae eraill wedi llosgi'r daflen a chyfansoddi eu caneuon eu hunain.

Er enghraifft, mae athro gwyddor ymddygiadol ym Mhrifysgol Stanford o'r enw Robert Malenka yn credu bod angen cynnal ymchwil mewn mannau eraill. Fel y 'nucleus accumbens', y rhan fechan iawn honno yng nghanol yr ymennydd. Mae'n hysbys mai dyma'r rhan o'r ymennydd sy'n gyfrifol am bleser a gorddibyniaeth, felly os nad yw'n gweithio'n iawn mae'n gwneud synnwyr y byddwn yn teimlo'r gwrthwyneb i bleser – *anhedonia* – sef anallu llwyr i deimlo pleser, un o brif symptomau iselder.

Byddai hyn hefyd yn golygu bod y ffantasi o estyn i mewn i'n penglog a chael gwared ar y rhan o'r ymennydd sy'n peri trafferth i ni yn dra annhebygol, gan y byddai'n rhaid i ni fynd yr holl ffordd drwy'r cortecs blaen er mwyn cyrraedd y rhan fechan greiddiol yma ohonon ni.

Mae'n bosib mai ateb rhannol yw'r cyfan allwn ni ei ddisgwyl wrth edrych ar un rhan o'r ymennydd, neu gemegyn penodol. Efallai y dylen ni fod yn edrych ar sut rydyn ni'n byw, a sut na chafodd ein meddyliau eu creu ar gyfer y bywydau rydyn ni'n eu byw bellach. Mae'r ymennydd dynol – o ran gwybyddiaeth ac emosiwn ac ymwybyddiaeth – yr un fath i bob pwrpas ag yr oedd yng nghyfnod Shakespeare neu Iesu Grist neu Cleopatra neu yn Oes y Cerrig. Dydy o ddim yn esblygu ar yr un raddfa â'r newidiadau i'n ffordd o fyw. Doedd bodau dynol neolithig ddim yn gorfod wynebu e-byst neu newyddion yn torri neu hysbysebion naid neu fideos Iggy Azalea neu fan talu hunanwasanaeth yng ngoleuni llachar Tesco Metro ar nos Sadwrn brysur. Yn hytrach na phoeni am uwchraddio technoleg a gadael i ni'n hunain raddol droi'n seiborgiaid, efallai y dylen ni gymryd cipolwg bach ar sut gallen ni uwchraddio ein gallu i ymdopi â'r holl newidiadau hyn.

Mae un peth yn sicr: dydyn ni ddim yn agos at gyrraedd pen draw gwyddoniaeth – yn enwedig gwyddor sydd yn ei babandod fel niwrowyddoniaeth. Bydd y rhan fwyaf o'r hyn rydyn ni'n ei wybod ar hyn o bryd yn cael ei wrthbrofi neu ei ailwerthuso yn y dyfodol. Dyna sut mae gwyddoniaeth yn gweithio – nid drwy ffydd ddall ond drwy amheuaeth barhaus.

Am y tro, y cyfan allwn ni ei wneud yw'r cyfan sydd angen i ni ei wneud – gwrando arnon ni'n hunain. Pan fyddwn ni'n ceisio gwella, yr unig wirionedd sy'n bwysig yw'r hyn sy'n gweithio i ni. Os yw rhywbeth yn gweithio, dydyn ni ddim o reidrwydd yn poeni *pam*. Wnaeth *diazepam* ddim gweithio i mi. Wnaeth tabledi cysgu ac eirinllys a homeopathi ddim fy iacháu i chwaith. Dydw i erioed wedi rhoi cynnig ar Prozac, gan fod hyd yn oed y syniad o wneud hynny yn dwysáu fy mhanig, felly alla i ddim mynegi barn amdano. Ond dydw i erioed wedi rhoi cynnig ar therapi ymddygiad gwybyddol chwaith. Os yw tabledi'n gweithio i chi, dydy hi fawr o ots ai serotonin neu ryw broses arall neu rywbeth cwbl wahanol sy'n gyfrifol – daliwch ati i'w cymryd nhw. Argol, os yw llyfu papur wal yn gweithio i chi, gwnewch hynny. Dydw i ddim yn erbyn tabledi. Rydw i o blaid unrhyw beth sy'n gweithio, a dwi'n gwybod bod tabledi yn gweithio i lawer o bobl. Mae'n ddigon posib y daw dydd pan fydda i'n dewis cymryd tabledi eto. Ond am y tro, dwi'n gwybod beth sy'n fy nghadw i'n sefydlog ar y cyfan. Mae ymarfer corff yn bendant yn fy helpu i, a ioga ac ymgolli yn rhywbeth, neu yng nghwmni rhywun, sy'n rhoi pleser i mi, felly rydw i'n dal i wneud y pethau hynny. Gan nad oes y fath beth â sicrwydd diymwad, mae'n debyg mai ni ein hunain yw ein labordy gorau.

Yr ymennydd yw'r corff – rhan un

RYDYN NI'N TUEDDU i edrych ar yr ymennydd a'r corff fel dau beth ar wahân. Mewn oesoedd blaenorol, y galon oedd craidd ein bodolaeth, neu roedd o leiaf yn cael ei chyfri'n gyfartal â'r meddwl, ond bellach mae rhyw wahaniad rhyfedd ar waith lle mae'r meddwl yn gweithio gweddill ein corff, fel dyn bach yn llywio jac codi baw.

Mae'r holl syniad o 'iechyd meddwl' fel rhywbeth ar wahân i iechyd corfforol yn gallu bod yn gamarweiniol mewn sawl ffordd. Mae cymaint o'r hyn rydych chi'n ei deimlo gyda gorbryder ac iselder yn digwydd y tu allan i'r meddwl. Crychguriadau'r galon, y poenau yn y breichiau a'r coesau, y cledrau chwyslyd, y pinnau bach sy'n aml yn cyd-fynd â gorbryder, er enghraifft. Neu'r coesau a'r breichiau poenus a'r lludded corfforol llwyr sydd weithiau'n dod yn rhan o iselder.

Seico

MAE'N DEBYG MAI'R tro cyntaf i mi deimlo bod fy ymennydd i fymryn yn estron, ychydig yn *wahanol*, oedd pan oeddwn i'n 13 oed. Digwyddodd hyn ychydig fisoedd ar ôl i mi geisio cael gwared ar fy man geni gyda brwsh dannedd.

Roeddwn i yn y Peak District yn Swydd Derby ar drip ysgol. Roedd y merched yn aros yn yr hostel. Roedd y bechgyn i fod i aros yno hefyd, ond oherwydd dryswch wrth logi'r ystafelloedd bu'n rhaid i wyth ohonon ni'r bechgyn aros yn y stablau y tu allan, gryn bellter o gynhesrwydd y gwesty.

Roeddwn i'n casáu bod oddi cartref. Dyma un arall o fy mhryderon mawr i. Roeddwn i eisiau bod gartref yn fy ngwely fy hun, yn edrych ar fy mhoster o Béatrice Dalle, neu'n darllen *Christine* gan Stephen King.

Roeddwn i'n gorwedd ar wely ucha'r bync yn edrych drwy'r ffenest ar dirlun du a chorslyd dan awyr ddi-sêr. Doedd gen i ddim ffrind go iawn o blith y bechgyn hyn. Eu hunig destun sgwrs oedd pêl-droed, nad oedd yn bwnc arbenigol i mi, a wancio, oedd ychydig yn fwy o bwnc arbenigol ond nid un roeddwn i'n gyfforddus yn ei drafod ar goedd. Felly dyma esgus cysgu.

Doedd dim athro gyda ni, yma yn y stablau, ac roedd rhyw ymdeimlad tebyg i *Lord of the Flies* i'r lle nad oeddwn i'n rhy hoff ohono. Roeddwn i wedi blino. Roedden ni wedi cerdded tua deg milltir y diwrnod hwnnw, llawer o'r daith drwy gorsydd mawn. Roedd cwsg yn pwyso'n drwm arna i, mor ddu a thrwchus â'r tir o'n cwmpas.

Deffroais i sŵn chwerthin.

Chwerthin gwyllt a gwallgof, fel pe bai'r peth mwyaf doniol erioed newydd ddigwydd.

Roeddwn i wedi siarad yn fy nghwsg. Does dim byd yn fwy doniol i fachgen 13 oed nag ennyd esgeulus ac annisgwyl sy'n codi cywilydd ar fachgen 13 oed arall.

Roeddwn i wedi mwmial rhywbeth aneglur am wartheg. A Newark. Yn Newark roeddwn i'n byw, felly roedd hynny'n ddealladwy. Ond y gwartheg, wel, roedd hynny'n od. Doedd dim gwartheg yn y Peak District. Dywedwyd wrthyf fy mod wedi dweud drosodd a throsodd, 'Mae Kelham yn Newark.' (Pentref ar gyrion Newark oedd Kelham, lleoliad pencadlys y cyngor tref. Roedd fy nhad yn gweithio fel pensaer yno, yn yr adran cynllunio trefol.) Fe wnes fy ngorau i chwerthin gyda'r criw, ond roeddwn i'n flinedig, ac yn nerfus. Doedd trip ysgol yn ddim byd ond fersiwn ddwysach o'r ysgol. Doeddwn i ddim wedi mwynhau'r ysgol ers pan oeddwn i'n un ar ddeg, pan oeddwn i mewn ysgol bentref gyda chyfanswm o 28 disgybl. Doeddwn i ddim yn hapus iawn yn fy ysgol newydd, Ysgol Uwchradd Magdalene. Treuliais ran helaeth o'r flwyddyn gyntaf yn ffugio poenau bol nad oedd neb yn eu credu'n aml iawn.

Wedyn dyma fi'n mynd yn ôl i gysgu, a phan wnes i ddeffro roeddwn i'n ysgwyd. Roeddwn i'n sefyll ar fy nhraed, gallwn deimlo aer oer ac roedd fy llaw'n gwaedu'n enbyd. Roedd hi'n sgleinio'n goch gan waed, a darn o wydr yn ymwthio o'i chledr. Roedd un o ffenestri'r stablau wedi torri o 'mlaen i. Roedd arna i ofn.

Roedd y bechgyn eraill i gyd ar ddihun, ond doedd neb yn chwerthin erbyn hyn. Roedd athro yno hefyd, neu roedd ar fin cyrraedd. Roedd rhaid rhoi rhwymyn am fy llaw.

Roeddwn i wedi codi o'r gwely yn fy nghwsg, a gweiddi – yn ddigri braidd – am wartheg eto. ('Mae'r gwartheg yn dod! Mae'r gwartheg yn dod!') Wedyn roeddwn i wedi piso wrth wely bachgen arall, cyn torri'r ffenest. Yn fuan wedyn, ysgydwodd un o'r bechgyn fy mraich a dyma fi'n deffro.

Nid dyma'r tro cyntaf i mi gerdded yn fy nghwsg. Yn ystod y flwyddyn honno roeddwn i wedi mynd i lofft fy chwaer a thynnu llyfrau oddi ar ei silffoedd, gan feddwl fy mod i mewn llyfrgell. Ond doeddwn i erioed wedi cerdded yn fy nghwsg yn gyhoeddus. Tan nawr.

Fe gefais i lysenw newydd. *Seico*. Roeddwn i'n teimlo fel ffrîc. Ond fe allai fod yn waeth. Roedd gen i rieni cariadus ac ambell ffrind a chwaer y gallwn siarad â hi am oriau. Roedd fy mywyd yn bur gysurus a chyffredin, ond byddai ymdeimlad o unigrwydd yn fy nharo weithiau. Teimlwn yn unig. Nid iselder. Dim ond fersiwn o'r teimlad annelwig, arddegol hwnnw fod neb yn eich deall chi. Wrth gwrs, doeddwn i ddim yn deall fy hun chwaith.

Roeddwn i'n poeni am bethau. Rhyfel niwclear. Ethiopia. Meddwl am deithio ar fferi. Roeddwn i'n poeni drwy'r amser. Yr unig beth nad oeddwn i'n poeni yn ei gylch oedd yr un peth y dylwn i fod wedi poeni yn ei gylch, mae'n debyg: y poeni ei hun. Byddai'n un mlynedd ar ddeg cyn i mi orfod mynd i'r afael â hynny.

Dyddiau Jenga

UN MLYNEDD AR ddeg wedi i mi dorri'r ffenest yn fy nghwsg, yn ystod yr hyn fyddwn i'n ei alw'n ddiweddarach yn 'fisoedd y chwalfa', roedd gen i lawer o amser gwag i syllu i fyw llygaid pryder.

Byddai fy rhieni yn codi ac yn mynd i'r gwaith, wedyn byddai gen i ac Andrea ddyddiau hir i'w treulio yn y tŷ. Mae'n od ysgrifennu am y cyfnod hwn. Hynny yw, does fawr ddim i ysgrifennu yn ei gylch. O'r tu allan, hwn oedd y cyfnod mwyaf diddigwydd yn fy mywyd o gryn dipyn.

O'r tu allan, y cyfan oedd yn digwydd oedd fy mod i'n siarad ag Andrea, naill ai yn llofft fy mhlentyndod neu i lawr y grisiau yn y gegin. O bryd i'w gilydd, fe fydden ni'n mentro allan am dro bach ambell brynhawn. Pen y daith fyddai'r siop gornel agosaf, gwta ddau neu dri chan metr i ffwrdd neu – ar ddyddiau mwy anturus – fe fydden ni'n cerdded ar hyd glannau afon Trent, fymryn yn bellach i ffwrdd, yr ochr arall i ganol y dref, a byddai hynny'n golygu cerdded ar hyd strydoedd a oedd yn gyfarwydd i mi ers fy mhlentyndod. (Sut allen nhw aros yr un fath a minnau'n teimlo mor wahanol?) Weithiau, fe fydden ni'n prynu papur newydd a thun o gawl a bara, cyn dychwelyd adref a darllen ambell dudalen o'r papur a thwymo'r cawl. Yn ddiweddarach, hwyrach y bydden ni'n helpu i baratoi swper. A dyna ni. Siarad ac eistedd a cherdded. Nid bywyd Lawrence o Arabia mo hwn. Byw mor dawel ag roedd hi'n bosib i ddau berson 24 oed fyw.

Ac eto, y dyddiau hynny oedd rhai dwysaf fy mywyd. Pob dydd yn cynnwys miloedd o frwydrau bach. Maen nhw'n llawn atgofion sydd mor boenus fel mai dim ond nawr, bron i bymtheg mlynedd yn ddiweddarach, rydw i'n gallu edrych arnyn nhw wyneb yn wyneb. Roeddwn i'n llanast o nerfau. Mae pobl yn dweud wrthych chi am 'fyw bywyd un dydd ar y tro'. Ond roeddwn i'n arfer meddwl, mae'n hawdd i chi ddweud hynny. Roedd dyddiau'n fynyddoedd, ac wythnos yn daith drwy fynyddoedd yr Himalaya. Maen nhw'n dweud mai rhywbeth 'perthynol' yw amser, ond nefoedd annwyl, mae'n wir bob gair.

Yn ôl Einstein, y ffordd i ddeall perthynoledd oedd drwy ddychmygu'r gwahaniaeth rhwng cariad a phoen. 'Pan fyddwch chi'n canlyn merch ddymunol, mae awr yn teimlo fel eiliad. Ond pan fyddwch chi'n eistedd ar golsyn gwynias, mae eiliad yn teimlo fel awr.' Roedd pob eiliad yn wynias. A thu hwnt i deimlo'n well, yr unig beth roeddwn i wir yn ei ddeisyfu oedd i amser basio'n gyflymach. Roeddwn i eisiau i naw o'r gloch fod yn ddeg o'r gloch. Roeddwn i eisiau i'r bore fod yn brynhawn. Roeddwn i eisiau i 22 Medi fod yn 23 Medi. Roeddwn i eisiau i'r goleuni fod yn dywyllwch a'r tywyllwch yn oleuni. Roedd y glob oedd gen i yn fy llofft yn blentyn gen i o hyd. Weithiau, fe fyddwn i'n sefyll yno'n ei droelli, gan ddymuno fy mod yn troelli'r byd i ddyfnderoedd y mileniwm nesaf.

Roedd gen i'r un obsesiwn ag amser ag sydd gan rai pobl ag arian. Dyna'r unig arf oedd gen i. Fe fyddwn i'n gosod yr oriau y naill ar ben y llall fel punnoedd a cheiniogau. Yn fy mhen, yng nghanol dyfroedd geirwon gorbryder, yr wybodaeth hon oedd bwi gobaith. *Mae hi'n 3 Hydref, 22 diwrnod ers iddo ddigwydd.*

Po hiraf fyddai amser yn mynd yn ei flaen a minnau'n dal a) yn fyw a b) ddim yn camgymryd neb am het, mwyaf y byddwn i'n teimlo bod gobaith i mi ddod drwyddi. Ond doedd hi ddim yn gweithio felly bob tro. Roeddwn i'n pentyrru'r dyddiau fel blociau Jenga, yn dychmygu fy mod yn gwneud rhyw fath o gynnydd, ac yna'r dwndwr – pum awr o banig llwyr neu ddiwrnod o dywyllwch dudew apocalyptaidd, a byddai'r dyddiau Jenga yn disgyn yn un pentwr blêr unwaith eto.

Arwyddion rhybudd

GYDAG ISELDER, MAE arwyddion rhybudd yn anodd iawn.

Mae'n arbennig o anodd i bobl heb brofiad uniongyrchol o iselder eu hadnabod pan maen nhw'n eu gweld. Mae hynny'n rhannol oherwydd bod rhai pobl yn drysu ynghylch beth yn union *yw* iselder. Rydyn ni'n defnyddio 'isel' yn gyfystyr â 'trist', yn union fel y defnyddiwn 'newynog' yn gyfystyr â 'llwglyd', er bod y gwahaniaeth rhwng iselder a thristwch yr un peth â'r gwahaniaeth rhwng newyn go iawn a theimlo rhyw fymryn o chwant bwyd.

Mae iselder yn salwch. Ond does dim brech neu beswch i'w nodweddu. Mae'n anodd ei weld oherwydd ei fod, ar y cyfan, yn anweledig. Er ei fod yn salwch difrifol, mae'n rhyfeddol o anodd i lawer o ddioddefwyr ei adnabod ar y dechrau. Nid am nad yw'n teimlo'n wael – mae o – ond oherwydd ei bod yn anodd adnabod y teimlad hwnnw, neu am ei fod yn cael ei ddrysu â rhywbeth arall. Er enghraifft, os ydych chi'n teimlo'n ddi-werth, hwyrach y byddech yn meddwl, 'Dwi'n teimlo'n ddi-werth oherwydd fy *mod* i'n ddi-werth.' Gall fod yn anodd ei adnabod fel symptom o salwch. Hyd yn oed os caiff ei adnabod, mae'n bosib y bydd diffyg hunan-werth, ynghyd â lludded, yn golygu nad oes gennych chi'r ewyllys na'r gallu i'w leisio.

Beth bynnag, dyma rai o'r arwyddion mwyaf cyffredin fod rhywun yn dioddef iselder.

Lludded – os yw rhywun wedi blino drwy'r amser, heb reswm go iawn.

Diffyg hunan-werth – mae hwn yn un anodd i bobl eraill sylwi arno, yn enwedig yn achos unigolyn sy'n gyndyn o drafod ei deimladau. Ac mae'n deg dweud nad yw diffyg hunan-werth yn un o'r cyflyrau gorau i annog rhywun i fynd allan ac wynebu'r byd.

'Arafwch seicoechddygol' (*psychomotor retardation*) – gyda rhai achosion o iselder, gall symudiadau neu lefaru'r unigolyn gael eu harafu.

Colli archwaeth (er bod cynnydd sylweddol yn eich archwaeth yn gallu bod yn symptom hefyd).

Bod yn bigog (er, a bod yn deg, gall hynny fod yn arwydd o *unrhyw beth*).

Crio'n aml.

Anhedonia – clywais am y gair yma gyntaf fel teitl gwreiddiol Woody Allen ar gyfer y ffilm *Annie Hall*. Fel y soniais ynghynt, mae'n golygu anallu i brofi pleser mewn unrhyw beth. Hyd yn oed mewn pethau pleserus, fel machlud haul a bwyd blasus, a gwylio comedïau amheus Chevy Chase o'r wythdegau. Y math yna o beth.

Mewnblygrwydd sydyn – os yw unigolyn yn ymddangos yn dawelach, neu'n fwy mewnblyg, na'r arfer, gallai olygu bod iselder arno. (Dwi'n cofio adegau pan na allwn siarad. Teimlai'n amhosib i mi symud fy nhafod, ac roedd siarad yn ymddangos mor ddibwynt. Yn union fel roedd testun sgwrs pobl eraill yn perthyn i fyd arall.)

Ellyllon

ROEDD YR ELLYLL yn eistedd wrth fy ymyl ar sedd gefn y car.

Roedd o'n real ac yn ffug ar yr un pryd. Nid yn rhith yn union, nac yn dryloyw fel ysbryd parc thema, ond yno a ddim yno chwaith. Yno pan fyddwn i'n cau fy llygaid. Yno hyd yn oed pan fyddwn i'n eu hagor eto, rhyw fath o argraffiad meddyliol brith wedi'i osod dros ben realiti, ond rhywbeth wedi'i *ddychmygu* yn hytrach na'i *weld*.

Roedd yn fyr, tua thair troedfedd o daldra. Yn ddireidus a llwyd, fel gargoel ar gadeirlan, yn edrych i fyny arna i ac yn gwenu. Wedyn safodd ar y sedd a dechrau llyfu fy wyneb. Roedd ganddo dafod hir a sych. Ac roedd o'n dal ati. Llyfu, llyfu, llyfu. Doedd o ddim wir yn fy nychryn i. Roedd yno ofn, wrth reswm. Roeddwn i'n byw fy mywyd yng nghanol ofn. Ond wnaeth yr ellyll ddim fy ngyrru i ymhellach i grafangau arswyd. Os rhywbeth, roedd yn gysur. Roedd y llyfu'n llyfu gofalgar, fel pe bawn i'n un clwyf mawr ac yntau'n ceisio fy ngwella.

Roedd y car ar ei ffordd i'r Theatre Royal yn Nottingham. Roedden ni'n mynd i weld *Swan Lake*. Y cynhyrchiad hwnnw lle roedd yr elyrch i gyd yn rhai gwryw. Roedd fy mam yn siarad. Roedd Andrea yn sedd y teithiwr yn y tu blaen, yn gwrando'n gwrtais amyneddgar ar fy mam. Dydw i ddim yn cofio beth roedd hi'n ddweud, ond dwi'n cofio'i bod hi'n siarad, oherwydd mai'r cyfan oedd ar fy meddwl oedd *Mae hyn yn od. Mae Mam yn siarad am Matthew Bourne a'i ffrindiau sydd wedi gweld y cynhyrchiad yma ac mae 'na ellyll hapus ar y sedd gefn yn llyfu fy wyneb.*

Dechreuodd y llyfu fynd ychydig yn fwy annifyr. Ceisiais gael gwared ar yr ellyll, neu'r syniad o'r ellyll, ond wrth gwrs, gwneud pethau'n waeth wnaeth hynny. Llyfu, llyfu, llyfu, llyfu. Allwn i ddim teimlo'r tafod ar fy nghroen mewn gwirionedd, ond roedd y syniad bod ellyll yn llyfu fy wyneb yn ddigon i yrru ias drwy fy ymennydd, fel pe bawn i'n cael fy ngoglais.

Chwarddodd yr ellyll. I mewn â ni i'r theatr. Roedd elyrch yn dawnsio. Teimlais fy nghalon yn cyflymu. Y tywyllwch, y caethiwed, fy mam yn gafael yn fy llaw, roedd y cyfan yn ormod. Dyma ni. Roedd popeth drosodd. Ond doedd o ddim, wrth gwrs. Arhosais yn fy sedd.

Mae gorbryder ac iselder, y coctel iechyd meddwl hynod gyffredin hwnnw, yn cydblethu yn y ffyrdd mwyaf rhyfedd. Fe fyddwn i'n aml yn cau fy llygaid ac yn gweld pethau od, ond dwi'n teimlo bellach mai'r unig reswm roedd y pethau hynny yno weithiau oedd oherwydd mai un o fy ofnau pennaf oedd mynd yn wallgof. Ac os ydych chi'n wallgof, mae'n debyg fod gweld pethau sydd ddim yno yn un o'r symptomau.

Os ydych chi'n ofni pan nad oes dim i'w ofni, mae'n rhaid i'ch ymennydd gynnig pethau i chi yn y pen draw. Felly mae'r ymadrodd cyfarwydd hwnnw, 'Does dim i'w ofni ond ofn ei hun', yn troi'n rhyw fath o wawdio diystyr. Oherwydd mae ofn yn ddigon. A dweud y gwir, mae'n fwystfil.

Ac wrth gwrs –

'Mae bwystfilod yn real,' meddai Stephen King. 'Ac mae ysbrydion yn real hefyd. Maen nhw'n byw y tu mewn i ni, ac weithiau, maen nhw'n ennill.'

Roedd hi'n dywyll. Roedd y tŷ yn dawel, felly dyma ninnau'n ceisio tewi hefyd.

'Dwi'n dy garu di,' sibrydodd hi.

'Dwi'n dy garu di,' sibrydais innau'n ôl.

Dyma ni'n cusanu. Teimlwn ellyllon yn ein gwylio, yn crynhoi o'n cwmpas, wrth i ni gusanu a chofleidio'n gilydd. Ac yn araf bach, yn fy meddwl, ciliodd yr ellyllon am ychydig.

Bodolaeth

Mae bywyd yn anodd. Gall fod yn hardd ac yn wych, ond mae hefyd yn anodd. Mae pobl i'w gweld yn ymdopi drwy beidio â meddwl gormod am y peth. Ond fydd rhai pobl ddim yn gallu gwneud hynny. A dyma'r cyflwr dynol, beth bynnag. Rydyn ni'n meddwl, felly rydyn ni'n bodoli. Rydyn ni'n gwybod ein bod ni'n mynd i heneiddio, clafychu a marw. Rydyn ni'n gwybod bod hynny'n mynd i ddigwydd i bawb o'n cydnabod, pawb sy'n annwyl i ni. Ond mae'n rhaid i ni gofio mai oherwydd hynny hefyd y mae gennym ni'r gallu i garu. Mae'n wir mai bodau dynol yw'r unig rywogaeth i deimlo iselder fel y gwnawn ni, ond mae hynny oherwydd ein bod ni'n rhywogaeth ryfeddol, un sydd wedi creu pethau rhyfeddol – gwareiddiad, iaith, straeon, caneuon serch. Ystyr *chiaroscuro* yw cyferbyniad rhwng goleuni a chysgod. Mewn darluniau o'r Iesu o gyfnod y Dadeni, er enghraifft, defnyddiwyd cysgod tywyll i danlinellu'r golau oedd yn trochi Crist. Mae'n anodd derbyn bod angau a phydredd a phopeth drwg yn arwain at bopeth da, ond dwi'n digwydd credu hynny. Fel y dywedodd Emily Dickinson, y bardd bythol wych a'r agoraffobiad gorbryderus achlysurol, 'Yr hyn sy'n gwneud bywyd mor felys yw na fydd byth yn dyfod eto.'

3
Codi

ROY NEARY: Caewch eich llygaid a daliwch eich gwynt ac fe fydd popeth yn troi'n brydferth.

—Steven Spielberg,
Close Encounters of the Third Kind

Pethau sy'n croesi'ch meddwl yn ystod eich pwl cyntaf o banig

1. Dwi'n mynd i farw.
2. Fe fydda i'n mynd mor wallgof fel na fydda i byth yn gwella.
3. Ddaw hyn byth i ben.
4. Bydd popeth yn mynd yn waeth.
5. Dydy calon neb i fod i guro mor gyflym â hyn.
6. Dwi'n meddwl yn llawer rhy gyflym.
7. Dwi'n gaeth.
8. Does neb wedi teimlo fel hyn o'r blaen. Erioed. Yn holl hanes y ddynoliaeth.
9. Pam nad oes teimlad yn fy mreichiau i?
10. Fydda i byth yn dod drwy hyn.

Pethau sy'n croesi'ch meddwl yn ystod eich milfed pwl o banig

1. Dyma fo'n dod.
2. Dwi wedi bod fan hyn o'r blaen.
3. Ond waw, mae'n dal yn eithaf gwael.
4. Efallai y bydda i'n marw.
5. Dydw i ddim yn mynd i farw.
6. Dwi'n gaeth.
7. Dyma'r un gwaethaf erioed.
8. Nage. Cofia Sbaen.
9. Pam nad oes teimlad yn fy mreichiau i?
10. Fe fydda i'n dod drwy hyn.

Y grefft o gerdded
ar eich pen eich hun

PAN OEDD FY iselder ar ei waethaf, roedd gen i gasgliad go helaeth o afiechydon meddwl cysylltiedig. Fel bodau dynol, rydyn ni wrth ein boddau'n rhannu pethau'n adrannau. Rydyn ni wrth ein boddau'n rhannu'n system addysg yn bynciau gwahanol, rhannu'n planed yn genhedloedd a'n llyfrau i *genres* gwahanol. Ond y gwir amdani yw bod pethau'n llai eglur na hynny. Yn union fel mae bod yn dda mewn mathemateg yn cyd-fynd yn aml â bod yn dda mewn ffiseg, mae iselder fel arfer yn golygu bod pethau eraill yn dod yn ei sgil. Gorbryderon, ambell ffobia o bosib, mymryn o OCD. (Roedd llyncu gorfodol yn dipyn o beth gen i.)

Roeddwn gen i agoraffobia a gorbryder gwahanu am gyfnod hefyd.

Un o'r dulliau y byddwn i'n mesur cynnydd oedd gweld pa mor bell fyddwn i'n gallu cerdded ar fy mhen fy hun.

Os oeddwn i'r tu allan, heb Andrea neu fy rhieni, allwn i ddim ymdopi. Ond yn hytrach nag osgoi sefyllfaoedd o'r fath, fe fyddwn i'n gorfodi fy hun i'w hwynebu.

Dwi'n meddwl bod hyn wedi helpu. Mae wynebu ofn o

hyd a cherdded tuag ato yn lladdfa, ond roedd i'w weld yn gweithio.

Ar y dyddiau hynny pan oeddwn i'n teimlo'n ddewr iawn, fe fyddwn i'n dweud rhywbeth – ahem – anhygoel o arwrol fel 'Dwi'n mynd i'r siop i brynu llaeth. A Marmite.'

Ac fe fyddai Andrea yn edrych arna i a dweud, 'Ar dy ben dy *hun*?'

'Ie. Ar fy mhen fy hun. Fe fydda i'n iawn.'

1999 oedd hi. Roedd llawer iawn o bobl heb ffôn symudol. Felly roedd ar eich pen eich hun yn dal i olygu ar eich pen eich hun. Fe fyddwn i'n gwisgo fy nghôt yn sydyn, gafael mewn ychydig o arian a gadael y tŷ cyn gynted ag y gallwn i, gan geisio cadw ar y blaen i'r panig.

Ac erbyn i mi gyrraedd pen draw Heol Wellington, stryd fy rhieni, fe fyddai'r tywyllwch yno, yn sibrwd arna i wrth i mi droi'r gornel am Heol Sleaford. Tai teras o frics oren gyda llenni net. Ac fe fyddwn i'n teimlo ansicrwydd dybryd, fel pe bawn i mewn gwennol ofod ar fin gadael orbit y ddaear. Roedd hyn yn fwy na cherdded i'r siop. Roedd yn debycach i *Apollo 13*.

'Mae'n iawn,' sibrydwn wrthyf fy hun.

Ac fe fyddwn i'n pasio aelod arall o'r hil ddynol yn mynd â'r ci am dro, a'r person hwnnw'n fy anwybyddu, neu'n gwgu, neu'n waeth fyth, yn gwenu, felly fe fyddwn innau'n gwenu'n ôl, a byddai fy mhen yn fy nghosbi'n fuan iawn.

Dyna'r peth rhyfedd am iselder a gorbryder. Maen nhw'n ymddwyn fel pe bai hapusrwydd yn rhywbeth i'w ofni'n fawr, er eich bod chi'n deisyfu'r hapusrwydd hwnnw'n fwy nag unrhyw beth arall yn y byd. Felly, os ydyn nhw'n eich dal chi'n gwenu, hyd yn oed gwên ffug, yna – wel, mae hynny wedi'i wahardd, fel y gwyddoch chi'n iawn, a dyma ichi ddeg tunnell o wrthbwysau i adfer y sefyllfa.

Yr odrwydd. Y teimlad o fod tu allan ar eich pen eich hun. Mor annaturiol â tho heb waliau. Fe fyddwn i'n gweld y siop draw yn rhywle. Y llythrennau 'Londis' yn dal yn fach a phell i ffwrdd. A chymaint o dristwch ac ofn i ddygymod â nhw cyn cyrraedd yno.

Dydw i byth yn mynd i allu gwneud hyn.

Dydw i ddim yn mynd i allu cerdded i'r siop. Ar fy mhen fy hun. A dod o hyd i laeth. A Marmite.

Os byddi di'n mynd adref fe fyddi di'n wannach fyth. Beth wyt ti'n mynd i'w wneud? Mynd yn ôl, ei cholli hi a mynd yn wallgof? Os ei di'n ôl, mae'r tebygolrwydd y byddi di'n treulio gweddill dy fywyd mewn cell gwiltiog gyda waliau gwyn yn uwch nag y mae'n barod. Tyrd. Cerdda i'r siop. Dim ond siop ydy hi. Rwyt ti wedi bod yn cerdded i siop y gornel ar dy ben dy hun ers pan oeddet ti'n ddeg oed. Un droed o flaen y llall. Ysgwyddau'n ôl. Anadla.

Wedyn dyma fy nghalon yn tarfu ar y sgwrs.

Anwybydda hi.

Ond gwranda arni'n curo – bwmbwmbwmbwmbwm.

Anwybydda hi.

Ond gwranda, ond gwranda, ond ffycin gwranda.

A'r pethau eraill.

Y delweddau meddyliol, yn syth allan o ffilmiau arswyd dychmygol. Y pinnau bach yng nghefn fy mhen, yn lledu drwy fy ymennydd. Y breichiau a'r dwylo dideimlad. Yr ymdeimlad o fod yn gorfforol wag, o doddi'n ddim, o fod yn ysbryd a gafodd ei greu gan orbryder trydanol. A'r anhawster i anadlu. Yr aer yn teneuo. Yr angen am ganolbwyntio dwys er mwyn rheoli fy anadlu.

Dos i'r siop, caria 'mlaen, er mwyn cyrraedd.

Dyma fi'n cyrraedd y siop.

Gyda llaw, mewn siopau y byddwn i'n dioddef y panig mwyaf, p'un a oedd Andrea yno ai peidio. Roedd siopau'n peri gorbryder rhyfeddol i mi. Ond doeddwn i byth yn siŵr iawn pam.

Ai'r goleuo?

Ai patrwm geometrig yr eiliau?

Ai'r camerâu cylch cyfyng?

Ai'r ffaith efallai mai pwynt yr holl frandiau oedd sgrechian am sylw, ac wrth i chi ymgolli'n llwyr yn y lleoliad fod y sgrechian yn cael gafael ynoch chi? Marwolaeth drwy Unilever. Dim ond siop Londis oedd hi, nid rhyw uwcharchfarchnad enfawr. Ac roedd y drws ar agor, y stryd y tu allan, a'r stryd honno'n arwain yn uniongyrchol at stryd fy rhieni, lle'r oedd tŷ fy rhieni, lle'r oedd Andrea, lle'r oedd popeth. Pe bawn i'n rhedeg, fe fyddwn i'n gallu cyrraedd yn ôl yno mewn ychydig dros funud.

Ceisiais ganolbwyntio. *Coco Pops*. Roedd hi'n anodd. *Frosties*. Yn anodd iawn. *Crunchy Nut Cornflakes*. *Sugar Puffs*. Doedd y bwystfil mêl ar y bocs erioed wedi edrych fel bwystfil go iawn o'r blaen. Pam oeddwn i yma, heblaw i brofi pwynt i mi fy hun?

Mae hyn yn wallgof. Dyma'r peth mwyaf gwallgof i mi ei wneud erioed.

Dim ond siop ydy hi.

Dim ond siop rwyt ti wedi bod ynddi, ar dy ben dy hun, bum can gwaith o'r blaen. Callia. Dal dy afael. Ond yn beth? Does dim byd i afael ynddo. Mae popeth yn llithrig. Mae bywyd mor affwysol o anodd. Mil o dasgau i'w gwneud ar yr un pryd. A minnau'n fil o bobl wahanol, pob un ohonyn nhw'n dianc o'r canol.

Yr hyn roeddwn i heb ei sylweddoli, cyn i mi ddioddef salwch meddwl, oedd fod agwedd *gorfforol* iddo hefyd. Hynny yw, teimladau yn y bôn yw'r holl bethau sy'n digwydd yn eich pen. Fy ymennydd yn goglais, grwnian, siffrwd a phwmpio. Roedd rhan helaeth o hyn fel pe bai'n digwydd tua chefn fy mhenglog, yn llabed yr ocsipwt, er bod rhyw fymryn o sŵn gwyn aneglur, fel statig ar sgrin deledu, yn y llabed flaen hefyd. Os oeddech chi'n meddwl gormod, mae'n bosib eich bod chi'n gallu teimlo'r meddyliau hynny'n digwydd.

'Gall un funud gynnwys angerdd di-ben-draw,' yn ôl Flaubert, 'fel tyrfa mewn man cyfyng.'

Dos allan o'r siop yma reit handi. Mae hyn yn ormod. Elli di ddim dioddef mwy o hyn. Mae dy ymennydd di'n mynd i ffrwydro.

Dydy ymennydd ddim yn ffrwydro. Nid un o ffilmiau David Cronenberg yw bywyd.

Ond mae'n bosib y gallwn i ddisgyn yr un pellter eto. Mai dim ond glanio hanner ffordd wnes i ar ôl y gwymp honno yn Ibiza. Efallai fod yr Isfyd go iawn dipyn is yn y seler ac mai dyna lle'r oeddwn i'n mynd, fel milwr mewn siel-sioc o ryw gerdd, yn glafoerio ac udo ac ar goll, yn methu hyd yn oed lladd fy hun. Ac efallai mai'r siop yma fyddai'n fy ngyrru i yno.

Roedd dynes tu ôl i'r cownter. Dwi'n gallu'i gweld hi nawr. Roedd hi tua fy oed i. Mae'n bosib ei bod hi wedi bod yn yr un ysgol â mi, ond doeddwn i ddim yn ei hadnabod hi. Roedd ei gwallt hi wedi'i liwio'n goch, y math o goch gwangalon hwnnw mae rhywun yn ei weld weithiau. Roedd hi'n fawr, yn welw ei chroen ac yn darllen cylchgrawn selébs. Edrychai'n hollol ddigyffro. Roeddwn i eisiau newid lle a bod yn hi. Roeddwn i'n torri fy mol eisiau bod yn hi. Ydy hynny'n swnio'n wirion? Wrth gwrs ei fod o. Mae'r holl beth yn swnio'n hollol wirion.

Indiana Jones a Theml y Marmite.

Dyma fi'n dod o hyd i'r Marmite. Gafaelais ynddo wrth i eiriau hen rap gan Eric B. & Rakim chwarae'n gyflym yn fy mhen. 'I'm also a sculpture, born with structure...' Cerflun heb strwythur oeddwn innau hefyd. Cerflun distrwythur yr oedd yn dal angen iddo brynu llaeth. O edrych arnyn nhw yn y ffordd gywir (anghywir), mae rhesi o boteli llaeth mewn oergell yn gallu bod yn rhyfeddol o arswydus ac annaturiol. Llaeth hanner sgim roedd fy rhieni'n ei brynu, ond dim ond poteli peint oedd yma, nid y poteli dau beint roedden nhw'n eu prynu fel arfer. Felly dyma fi'n rhoi fy mynegfys drwy ddolen dwy botel a'u cario nhw, a'r Marmite, at y cownter.

Bwmbwmbwmbwmbwm.

Doedd y ddynes roeddwn i eisiau bod yn ei chroen hi ddim yn arbennig o gyflym wrth ei gwaith. A dweud y gwir, dwi'n meddwl mai hi o bosib oedd yr arafaf i wneud y gwaith erioed. Mae'n bosib mai hi ysgogodd y symudiad tuag at gownteri hunanwasanaeth mewn nifer o siopau. Er fy mod i eisiau bod yn hi o hyd, roeddwn i'n casáu ei harafwch.

Brysia, meddyliais, ond heb ddweud hynny. *Oes gen ti unrhyw syniad beth rwyt ti'n ei wneud?*

Roeddwn i eisiau mynd yn ôl ac ail-fyw fy mywyd eto ar ei chyflymder hi. Wedyn fyddwn i ddim yn teimlo fel hyn. Roedd angen i mi ddechrau rhedeg yn arafach.

'Wyt ti angen bag?'

Roedd angen bag arna i, mewn gwirionedd, ond allwn i ddim mentro'i harafu hi ddim mwy. Roedd sefyll yn llonydd yn anodd iawn. Pan fydd pob modfedd ohonoch chi mewn panig, mae cerdded yn well na sefyll.

Llifodd rhywbeth i fy ymennydd. Caeais fy llygaid. Gwelais ellyllon corachaidd yn cael hwyl, yn chwerthin am fy mhen fel pe bai fy ngwallgofrwydd yn berfformiad mewn carnifal.

'Na. Mae'n iawn. Dim ond rhyw dri chan llath i ffwrdd dwi'n byw.'

Ddim yn llawn llathen.

Dyma fi'n talu gyda phapur pumpunt. 'Cadwa'r newid.'

A dyma hi'n dechrau sylweddoli fy mod i ychydig yn od ac allan â fi i'r byd mawr yr ochr draw i ddrws y siop. Cerddais mor gyflym ag y gallwn i (byddai dechrau rhedeg yn gyfystyr â methiant), yn teimlo fel pysgodyn ar fwrdd llong, angen bod yn ôl yn y dŵr.

'Mae'n iawn, mae'n iawn, mae'n iawn...'

Wrth droi'r gornel, dyma fi'n dechrau gweddïo na welwn i neb oedd yn fy adnabod ar Heol Wellington. Neb. Dim ond gwacter a thai pâr Fictoraidd swbwrbaidd, yn sefyll bob yn ddau ac yn wynebu tai tebyg.

A dyma fi'n cyrraedd yn ôl i rif 33, tŷ fy rhieni, canu'r gloch, ac Andrea'n ateb. I mewn â fi, ond doedd dim rhyddhad achos roedd fy meddwl yn syth bìn yn nodi mai cadarnhad o salwch eto fyth oedd teimlo rhyddhad am oroesi taith i siop y gornel, nid arwydd 'mod i'n iach.

Ond cofia di, efallai y gallet di ryw ddiwrnod fod mor araf â'r ferch yn y siop wrth dynnu sylw at bethau o'r fath.

'Rwyt ti'n dod drwyddi,' meddai Andrea.

'Ydw,' atebais, gan wneud fy ngorau glas i gredu hynny.

'Rydyn ni'n mynd i dy wella di.'

Dydy bod yn gefn i rywun sydd ag iselder ddim yn hawdd.

Sgwrs ar draws amser – rhan dau

FI, DDOE: Alla i ddim gwneud hyn.

FI, HEDDIW: Rwyt ti'n meddwl na elli di, ond fe elli di. Fe wyt ti. Fe wnei di.

FI, DDOE: Ond y boen. Mae'n rhaid dy fod di wedi anghofio sut beth oedd o. Fe es i ar risiau symudol heddiw, mewn siop, ac roeddwn i'n teimlo fy hun yn chwalu'n deilchion. Roedd yn union fel pe bai'r bydysawd cyfan yn fy nhynnu i'n rhacs. Yng nghanol John Lewis.

FI, HEDDIW: Mae'n debyg fy mod i wedi anghofio fymryn bach. Ond gwranda, edrycha, dwi yma. Dwi yma nawr. Ac fe ddes i drwyddi. Fe ddaethon ni drwyddi. Y cyfan sydd raid i ti wneud yw dal dy afael.

FI, DDOE: Dwi wir angen credu dy fod di'n bodoli. Nad ydw i'n dy ladd di.

FI, HEDDIW: Wnest ti ddim. Dwyt ti ddim. Wnei di ddim.

FI, DDOE: Pam fyddwn i'n aros yn fyw? Fyddai hi ddim yn well teimlo dim byd na theimlo'r fath boen? Ydy dim byd ddim yn werth mwy na minws mil?

FI, HEDDIW: Gwranda, gwranda er mwyn dyn, ceisia gael hyn i mewn i dy ben, iawn? Rwyt ti'n dod drwyddi ac ar yr ochr arall, mae bywyd. B-Y-W-Y-D. Wyt ti'n deall? Ac fe fydd 'na bethau y gwnei di eu mwynhau. Rho'r gorau i boeni am boeni, dyna i gyd. Mae'n iawn i ti boeni – mae hynny'n anochel – ond paid â phoeni am boeni'n dragywydd.

FI, DDOE: Rwyt ti'n edrych yn hen. Mae gen ti rychau mân. Wyt ti'n dechrau colli dy wallt?

FI, HEDDIW: Ydw. Ond rydyn ni wedi bod yn poeni am bethau fel hyn erioed. Wyt ti'n cofio'r gwyliau yn ardal y Dordogne pan oedden ni'n ddeg oed? Pan wnaethon ni blygu'n agos at y drych a dechrau poeni am y rhychau ar ein talcen. Roedden ni'n poeni am effeithiau gweledol heneiddio bryd hynny. Achos rydyn ni wastad wedi ofni marw.

FI, DDOE: Wyt ti'n dal i ofni marw?

FI, HEDDIW: Ydw.

FI, DDOE: Dwi angen rheswm dros aros yn fyw. Rhywbeth cadarn i fy nghadw i yma.

FI, HEDDIW: Iawn, iawn, rho funud i mi...

Rhesymau dros aros yn fyw

1. Rydych chi ar blaned arall. Does neb yn deall beth rydych chi'n mynd drwyddo. Ond fel mae'n digwydd, maen nhw. Dydych chi ddim yn meddwl eu bod nhw gan mai chi yw'r unig gyfeirnod sydd gennych chi. Dydych *chi* erioed wedi teimlo fel hyn o'r blaen, ac mae sioc y gwymp yn peri trawma i chi, ond mae pobl eraill wedi bod yno. Rydych chi mewn gwlad dywyll, dywyll gyda phoblogaeth o filiynau.

2. Dydy pethau ddim yn mynd i waethygu. Rydych chi eisiau lladd eich hun. Dyna mor isel ag yr aiff pethau. Dim ond i fyny mae mynd o'r fan hon.

3. Rydych chi'n casáu eich hun. Mae hynny oherwydd eich bod chi'n sensitif. Gallai unrhyw un, fwy neu lai, ddod o hyd i reswm i gasáu ei hun pe bai'n meddwl am y peth gymaint â chi. Fel bodau dynol rydyn ni i gyd yn fastads llwyr, ond rydyn ni hefyd yn hollol fendigedig.

4. Felly mae gennych chi label. Pa wahaniaeth? 'Rhywun sydd ag iselder'. Byddai gan bawb label pe baen nhw'n holi'r arbenigwr iawn.

5. Dim ond symptom yw'r teimlad sydd gennych chi fod popeth yn mynd i waethygu.

6. Mae gan y meddwl ei system dywydd ei hun. Rydych chi yng nghanol corwynt. Mae corwyntoedd yn chwythu eu plwc yn y pen draw. Daliwch eich gafael.

7. Anwybyddwch y stigma. Roedd stigma i bob afiechyd ar un adeg. Rydyn ni'n ofni mynd yn sâl, ac mae ofn yn tueddu i arwain at ragfarn cyn gwybodaeth. Er enghraifft, ar un adeg roedd pobl dlawd yn cael bai ar gam am polio. Ac mae iselder yn aml yn cael ei ystyried fel 'gwendid' neu ddiffyg ym mhersonoliaeth rhywun.

8. Does dim byd yn para am byth. Fydd y boen hon ddim yn para. Mae'r boen yn dweud wrthych chi y bydd yn para. Ond mae poen yn dweud celwydd, a dylid ei hanwybyddu. Dyled sy'n cael ei thalu gydag amser yw poen.

9. Mae meddyliau'n symud. Mae personoliaethau'n newid. Fel y nodais yn y llyfr *The Humans*: 'Mae eich meddwl fel galaeth, gyda mwy o dywyllwch na goleuni. Ond mae'r golau'n ei wneud yn werth chweil. Hynny yw, peidiwch â lladd eich hun. Hyd yn oed pan mae hi'n hollol dywyll. Peidiwch ag anghofio nad yw bywyd byth yn llonydd. Gofod yw amser. Rydych chi'n symud drwy'r alaeth honno. Arhoswch am y sêr.'

10. Fe fyddwch chi un diwrnod yn profi llawenydd fydd lawn cymaint â'r boen yma. Fe fyddwch chi'n wylo dagrau o orfoledd wrth wrando ar y Beach Boys, fe fyddwch chi'n syllu ar wyneb babi sy'n cysgu yn eich côl,

fe fyddwch chi'n gwneud ffrindiau gwych, fe fyddwch chi'n bwyta bwyd blasus nad ydych chi wedi'i flasu o'r blaen, fe fyddwch chi'n gallu mwynhau'r olygfa o rywle uchel heb asesu'r tebygolrwydd o farw pe byddech chi'n disgyn. Mae yna lyfrau nad ydych chi wedi eu darllen a fydd yn cyfoethogi eich bywyd, ffilmiau y byddwch yn eu gwylio wrth fwyta tomen o bopcorn, ac fe fyddwch chi'n dawnsio a chwerthin a chael rhyw ac yn mynd i redeg ar lan yr afon ac yn sgwrsio tan yr oriau mân ac yn chwerthin hyd nes bydd eich ochrau'n brifo. Mae bywyd yn disgwyl amdanoch chi. Mae'n bosib y byddwch chi'n gaeth yn y fan yma am ychydig, ond dydy'r byd ddim yn mynd i unman. Daliwch eich tir os gallwch chi. Mae bywyd wastad yn werth y drafferth.

Cariad

Yn y bôn, rydyn ni ar ein pennau'n hunain. Does dim osgoi'r ffaith honno, er ein bod yn ceisio anghofio hynny'n aml iawn. Pan fyddwn ni'n sâl, does dim osgoi'r gwir. Mae poen, o unrhyw fath, yn brofiad ynysig iawn. Dwi'n dioddef gyda fy nghefn ar hyn o bryd. Dwi'n ysgrifennu'r geiriau hyn wrth orwedd ar fy nghefn ar soffa, a 'nghoesau i fyny yn erbyn wal. Os ydw i'n eistedd fel dwi'n gwneud fel arfer, yn crymu dros lyfr nodiadau neu liniadur fel awdur nodweddiadol, mae gwaelod fy nghefn yn dechrau brifo. Pan mae'r boen yn taro eto, dydy hi fawr o gysur i mi wybod bod miliynau o bobl eraill hefyd yn dioddef problemau gyda'u cefnau.

Felly pam ydyn ni'n trafferthu gyda chariad? Waeth faint fyddwn ni'n caru rhywun, allwn ni ddim sicrhau fod y person hwnnw, yn fwy na ninnau, yn mynd i fod yn rhydd o boen.

Wel, gadewch i mi rannu rhywbeth gyda chi. Rhywbeth sy'n swnio braidd yn hurt a neis-neis ar yr olwg gyntaf ond rhywbeth dwi'n credu i'r carn ynddo. Fe wnaeth cariad fy achub i. Andrea. Fe wnaeth hi fy achub i. Ei chariad hi tuag atafi, a'm cariad innau tuag ati hithau. Nid dim ond unwaith chwaith. Sawl tro. Drosodd a throsodd. Roedden ni wedi bod gyda'n gilydd ers pum mlynedd pan es i'n sâl. A beth oedd Andrea wedi'i ennill yn ystod y cyfnod hwnnw, ers y noson cyn ei phen-blwydd yn 19 oed? Ymdeimlad parhaus o ansicrwydd ariannol? Bywyd rhywiol annigonol, wedi'i lesteirio gan ormod o alcohol?

Yn y brifysgol, roedd ein ffrindiau o hyd yn ein hystyried ni fel cwpl hapus. Ac fe oedden ni, heblaw am y cyfnodau hynny pan oedden ni'n gwpl anhapus.

Yn ddiddorol iawn, roedden ni'n bobl gwbl wahanol yn y bôn. Roedd Andrea'n hoffi'i gwely yn y bore a chlwydo'n gynnar, a minnau'n gysgwr gwael ac yn dipyn o aderyn y nos. Doedd hi ddim yn ofni gwaith caled, ond roeddwn i (er, ers yr iselder, yn rhyfedd ddigon, dydw i ddim). Roedd hi'n hoffi trefn a fi oedd y person mwyaf anhrefnus iddi ei gyfarfod erioed. I bob pwrpas, roedd ein cymysgu ni fel cymysgu clorin ac amonia. Ddim yn syniad da o gwbl.

Ond roeddwn i'n gwneud iddi chwerthin, meddai hi. Roeddwn i'n 'hwyl'. Roedden ni'n mwynhau siarad. Roedd y ddau ohonon ni, am wn i, mewn ffyrdd gwahanol, yn bobl go swil a phreifat. Roedd Andrea, yn arbennig, yn gameleon cymdeithasol. Caredigrwydd ar ei rhan hi oedd hynny. Allai hi ddim ymdopi os oedd rhywun yn teimlo'n chwithig, felly roedd hi'n plygu er mwyn pobl eraill gymaint ag y gallai. Os oedd gen i rywbeth i'w gynnig iddi, dwi'n credu mai'r cyfle iddi fod yn hi ei hun oedd hynny.

Os yw'r hyn ddywedodd Schopenhauer yn wir, ein bod ni'n 'aberthu tri chwarter ohonon ni'n hunain er mwyn bod fel pobl eraill', yna mae cariad – ar ei orau – yn ffordd o adfer y rhannau coll hynny ohonon ni'n hunain. Y rhyddid hwnnw a gollwyd yn fuan yn ystod ein plentyndod. Efallai mai dyna yw cariad – dod o hyd i'r sawl y gallwch chi ymddwyn fel chi'ch hunan yn ei gwmni, yn eich holl odrwydd cynhenid.

Fe wnes i ei helpu hi i fod yn hi ei hun, ac fe'm helpodd hithau innau i fod yn fi fy hun. Fe wnaethon ni hynny drwy siarad. Yn ein blwyddyn gyntaf, fe fydden ni'n aml yn aros ar ein traed drwy'r nos yn siarad. Byddai'r noson yn dechrau gyda thaith i'r siop win ar waelod Heol Sharp yn Hull (y stryd lle'r oeddwn i'n byw pan oeddwn i'n fyfyriwr) i brynu potel o win nad oedden ni'n gallu ei fforddio, ac yn aml iawn byddai'n gorffen drwy wylio rhaglenni teledu amser brecwast ar fy hen deledu Hitachi, gan orfod symud yr erial yn gyson er mwyn gweld rhyw fath o lun.

Flwyddyn yn ddiweddarach, roedden ni'n cael hwyl yn chwarae bod yn oedolion, gan brynu *The River Café Cookbook* a chynnal ciniawau gwadd a gweini saladau *panzanella* a gwinoedd drud yn ein fflat myfyrwyr tamp.

Peidiwch â meddwl bod hon yn berthynas berffaith. Doedd hi ddim. Dydy hi ddim o hyd. Mae'r cyfnod y buon ni'n byw yn Ibiza, yn enwedig, yn ymddangos bellach fel un ffrae hir.

Gwrandewch ar hyn:

'Matt, deffra.'

'Beth?'

'Deffra. Mae'n hanner awr wedi naw.'

'A?'

'Dwi i fod yn y swyddfa am ddeg. Ac mae hi'n daith dri chwarter awr.'

'Pa ots? Fydd neb yn gwybod. 'Dan ni yn Ibiza.'

'Ti'n bod yn hunanol.'

'Dwi'n bod yn flinedig.'

'Mae gen ti ben mawr. Roeddet ti'n yfed fodca a lemonêd drwy'r nos.'

'Mae'n ddrwg gen i am gael amser da. Ddylet ti roi cynnig arni rywbryd.'

'Ffyc off. Dwi'n mynd i'r car.'

'Be? Chei di mo 'ngadael i yn y fila drwy'r dydd. Fydda i'n sownd yng nghanol nunlle. Does 'na ddim bwyd. Rho ddeg munud i fi!'

'Dwi'n mynd. Dwi wedi cael llond bol arnat ti.'

'Pam?'

'Ti sydd eisiau bod yma. A 'ngwaith i sy'n ein cadw ni. Dyna pam 'dan ni yn y fila yma.'

'Rwyt ti'n gweithio chwe diwrnod yr wythnos. Deuddeg awr y dydd. Maen nhw'n cymryd mantais arnat ti. Maen nhw'n dal allan yn clybio. A does 'na neb yn y swyddfa tan ar ôl hanner dydd. Maen nhw'n gweld gwerth ynot ti achos dy fod di ddim yn gall. Rwyt ti'n fodlon gwneud unrhyw beth iddyn nhw ac yn fy nhrin i fel baw.'

'Hwyl, Matt.'

'O ffyc off, ti ddim wir yn gadael, wyt ti?'

'Y cont hunanol.'

'Iawn, fydda i'n barod rŵan... *ffyc.*'

Ond rhywbeth ar yr wyneb oedd y ffraeo. Os ewch chi'n ddigon dwfn o dan y tswnami, mae'r dŵr yn llonydd. Dyma sut roedden ni. Mewn ffordd, roedden ni'n ffraeo oherwydd ein bod ni'n gwybod na fyddai'n cael unrhyw effaith sylfaenol. Pan allwch chi fod yn chi'ch hun yng nghwmni rhywun, rydych chi'n dangos eich ochr anfodlon i'r byd. A dyna oedd yn digwydd yn Ibiza. Doeddwn i ddim yn hapus. A dyna ran o fy mhersonoliaeth: pan oeddwn i'n anhapus, roeddwn i'n ceisio boddi fy hun mewn pleser.

I ddefnyddio un o ymadroddion mawr maes therapi, roeddwn i'n ymwrthod â'r gwir. Roeddwn i'n gwadu fy mod i'n anhapus, hyd yn oed a minnau'n ymddwyn fel cariad pigog gyda phen mawr.

Fodd bynnag, doedd dim un eiliad pan fyddwn i wedi dweud – na theimlo – nad oeddwn i'n ei charu hi. Roeddwn i'n ei charu hi'n llwyr. Cariad-cyfeillgarwch a chariad-cariad. *Philia* ac *eros*. Roeddwn i wastad wedi gwneud. Ond, o'r ddau, y cariad-cyfeillgarwch dwfn a chyflawn hwnnw yw'r pwysicaf. Pan drawodd yr iselder, roedd Andrea yno i mi. Byddai'n garedig ac yn flin tuag ata i yn yr holl ffyrdd oedd yn angenrheidiol ar y pryd.

Roedd hi'n rhywun y gallwn siarad â hi, y gallwn ddweud unrhyw beth wrthi. Roedd bod gyda hi fel bod gyda fersiwn allanol ohonof i fy hun.

Roedd y grym a'r holl gynddaredd a arferai ddod i'r wyneb wrth iddi ffraeo'n unig bellach yn cael eu defnyddio i'm llywio i tuag at adferiad. Byddai'n dod gyda mi i weld meddygon. Byddai'n fy annog i ffonio'r llinellau cymorth cywir. Hi wnaeth i ni symud i fyw yn ein lle ni ein hunain. Hi wnaeth fy annog i ddarllen, i ysgrifennu. Hi oedd yn ennill cyflog. Hi roddodd amser i ni. Hi ofalodd am ochr drefniadol fy mywyd, y pethau mae angen eu gwneud er mwyn gallu cario 'mlaen.

Hi oedd yn llenwi'r mannau gwag a gododd yn sgil y pryder a'r tywyllwch. Hi oedd yn gwneud fy meddwl yn gyflawn. Gwarchodwr fy mywyd. Fy hanner arall yn llythrennol pan oedd fy hanner i wedi mynd ar goll. Roedd hi'n gwneud pethau ar fy rhan, ac yn aros yn amyneddgar fel gwraig milwr yn ystod rhyfel, pan oeddwn i'n absennol ohonof fy hun.

Sut i fod yn gefn i rywun
ag iselder neu orbryder

1. Cofiwch fod eich angen chi, a'ch bod chi'n cael eich gwerthfawrogi, er y gall ymddangos nad yw hynny'n wir.

2. Gwrandewch.

3. Peidiwch byth â dweud 'tyrd at dy goed' neu 'cwyd dy galon' os nad ydych chi'n mynd i roi cyfarwyddyd manwl sy'n siŵr o weithio. (Dydy cariad di-lol ddim yn gweithio. Fel mae'n digwydd, mae 'cariad' syml, hen ffasiwn yn ddigon.)

4. Sylweddolwch ei fod yn afiechyd. Bydd pethau'n cael eu dweud heb eu golygu.

5. Addysgwch eich hun. Yn bennaf oll, ceisiwch ddeall fod rhywbeth sy'n ymddangos yn hawdd i chi – mynd i'r siop, er enghraifft – yn gallu bod yn her amhosib i rywun sydd ag iselder.

6. Peidiwch â chymryd dim byd yn bersonol, yn yr un modd na fyddech chi'n gwneud hynny gyda rhywun sy'n dioddef o'r ffliw neu syndrom lludded cronig neu wynegon. Does dim o hyn yn fai arnoch chi.

7. Byddwch yn amyneddgar. Deallwch nad yw hi'n mynd i fod yn hawdd. Mae iselder yn symud fel llanw a thrai ac yn codi a gostwng. Dydy o ddim yn aros yn llonydd. Peidiwch ag ystyried bod un ennyd hapus neu wael yn brawf o adferiad neu bwl gwael arall. Peidiwch â disgwyl i bethau newid dros nos.

8. Cwrddwch â nhw ble bynnag maen nhw. Holwch beth allwch chi ei wneud. Y peth mwyaf allwch chi ei wneud yw dim ond *bod yno*.

9. Os yw hynny o fewn eich gallu, ceisiwch liniaru unrhyw bwysau gwaith/bywyd.

10. Os yw'n bosib, peidiwch ag achosi i'r sawl sydd ag iselder deimlo'n fwy rhyfedd nag y mae yn barod. Tridiau ar y soffa? Heb agor y llenni? Crio dros benderfyniadau anodd fel pa bâr o sanau i'w gwisgo? Pa wahaniaeth? Does dim ots. Does dim y fath beth â normal. Mae normal yn oddrychol. Mae saith biliwn fersiwn o normal ar y ddaear.

Ennyd ddibwys

FE DDAETH. YR ennyd y bûm yn aros amdani. Rhywbryd yn ystod mis Ebrill 2000. Ennyd hollol ddibwys. A dweud y gwir, does fawr ddim i'w ysgrifennu amdani. Dyna'r holl bwynt. Ennyd o ddim byd oedd hon, ennyd ddifeddwl – treulio bron ddeg eiliad yn effro heb feddwl am fy iselder na fy ngorbryder. Roeddwn i'n meddwl am waith. Am geisio cael erthygl wedi'i chyhoeddi mewn papur newydd. Doedd o ddim yn feddwl hapus, dim ond meddwl niwtral. Ond roedd o'n fwlch yn y cymylau, yn arwydd fod yr haul yn dal yno yn rhywle. Mewn chwinciad roedd hi drosodd, ond pan grynhodd y cymylau unwaith eto roedd yna obaith. Byddai amser yn dod pan fyddai'r eiliadau di-boen hynny'n troi'n funudau ac oriau a hyd yn oed ddyddiau efallai.

Pethau sydd wedi digwydd i mi sydd wedi ennyn mwy o gydymdeimlad nag y mae iselder

Dioddef o dinitws.

Llosgi fy llaw ar ffwrn, a gorfod ei chadw mewn maneg ryfedd yn llawn eli am wythnos.

Rhoi fy nghoes ar dân ar ddamwain.

Colli swydd.

Torri bys troed.

Bod mewn dyled.

Afon yn gorlifo i'n tŷ newydd hyfryd, gan beri gwerth £10,000 o ddifrod.

Adolygiadau gwael ar Amazon.

Dal y norofeirws.

Gorfod cael fy enwaedu yn un ar ddeg oed.

Poen yng ngwaelod fy nghefn.

Bwrdd du yn disgyn ar fy mhen.

Syndrom coluddyn llidus (IBS).

Bod ddim mwy na stryd oddi wrth ymosodiad terfysgol.

Ecsema.

Byw yn Hull ym mis Ionawr.

Mwy nag un berthynas yn chwalu.

Gweithio mewn warws pacio bresych.

Gweithio ym maes gwerthu ym myd y cyfryngau (iawn, roedd hon yn go agos).

Bwyta corgimwch gwenwynig.

Meigryn barodd dridiau.

Esbonio bywyd ar y ddaear i estron

MAE'N ANODD ESBONIO iselder i bobl sydd heb ei ddioddef.

Mae'n debyg i esbonio bywyd ar y ddaear i estron. Mae'r cyfeirnodau ar goll, ac mae'n rhaid i chi ddibynnu ar drosiadau.

Rydych chi'n gaeth mewn twnnel.

Rydych chi ar waelod y môr.

Rydych chi ar dân.

Dwyster y teimlad yw'r peth pennaf. Dydy o ddim yn ffitio'n dwt o fewn sbectrwm arferol ein hemosiynau. Pan fyddwch chi yn ei ganol, rydych chi yn ei ganol go iawn. Allwch chi ddim camu allan ohono heb gamu allan o fywyd, achos dyna *yw* bywyd. Eich bywyd chi. Mae pob un profiad a gewch chi yn cael ei hidlo drwyddo. O ganlyniad, mae'n gwneud i bopeth ymddangos yn fwy. Ar ei waethaf, mae pethau bach na fyddai person cyffredin prin yn sylwi arnyn nhw yn cael effaith lethol. Mae'r haul yn diflannu tu ôl i gwmwl, ac mae'r newid bychan hwnnw yn y tywydd yn teimlo fel pe bai ffrind i chi wedi marw. Rydych chi'n teimlo'r gwahaniaeth rhwng y tu mewn a'r tu allan yn union fel mae babi'n gweld gwahaniaeth rhwng y groth a'r byd mawr. Rydych chi'n llyncu tabled *ibuprofen* ac mae eich ymennydd niwrotig yn ymddwyn fel pe bai wedi cael gorddos o fethamffetamin.

Nid pylu oedd effaith iselder i mi ond miniogi, dwysáu, fel pe bawn i wedi bod yn byw fy mywyd mewn cragen a bod y gragen honno bellach wedi mynd. Datguddiad llwyr. Meddwl noeth, poenus o amrwd. Personoliaeth wedi'i blingo. Ymennydd mewn jar yn llawn asid profiad. Yr hyn nad oeddwn i'n ei sylweddoli ar y pryd, rhywbeth fyddai wedi teimlo'n annealladwy i mi, oedd y byddai'r cyflwr meddwl hwnnw'n arwain at effeithiau cadarnhaol yn ogystal ag effeithiau negyddol.

Dydw i ddim yn sôn am yr hen dôn gron Mae Beth Bynnag Sydd Ddim Yn Eich Lladd Chi'n Eich Gwneud Chi'n Gryfach. Na. Dydy hynny ddim yn wir. Mae'r hyn sydd ddim yn eich lladd chi'n aml iawn yn eich gwneud chi'n wannach. Mae'r hyn sydd ddim yn eich lladd chi'n gallu'ch gwneud chi'n gloff am weddill eich oes. Mae'r hyn sydd ddim yn eich lladd chi'n gallu'ch gwneud chi'n rhy ofnus i adael eich tŷ, neu eich llofft hyd yn oed, a'ch gadael chi'n crynu neu'n mwmial yn aneglur, neu'n pwyso'ch pen yn erbyn ffenest, yn ysu am gael mynd yn ôl i'r cyfnod cyn dyfodiad y peth wnaeth ddim eich lladd chi.

Na.

Nid mater o gryfder yw hyn. Nid y cryfder stoïcaidd, dal-ati-heb-feddwl-gormod-doed-a-ddêl, beth bynnag. Mae'n fwy o hoelio sylw. O weld pethau'n gliriach. Symud o'r rhyddieithol i'r barddonol. Cyn i mi gyrraedd y 24 oed, wyddwn i ddim pa mor ddrwg allai pethau deimlo, ond doeddwn i chwaith ddim wedi sylweddoli pa mor dda allai pethau deimlo. Efallai fod y gragen yn eich amddiffyn chi, ond mae hefyd yn eich atal chi rhag teimlo holl rym y pethau da. Hwyrach fod iselder yn bris diawledig o uchel i'w dalu am ddeffro a gweld bywyd yn ei holl ogoniant, a phan fyddwch chi yn ei ganol mae'n gallu ymddangos yn bris rhy uchel i'w dalu. Mae cymylau gydag ymyl arian yn dal i fod yn gymylau. Ond mae'n eithaf therapiwtig i wybod bod pleser nid yn unig yn helpu i wneud iawn am y boen, ond ei fod hefyd yn gallu gwreiddio a thyfu o'r boen honno.

Gofod gwyn

FE DREULION NI dri mis hir yn nhŷ fy rhieni, wedyn gweddill y gaeaf mewn fflat rhad yn un o ardaloedd tai myfyrwyr Leeds, gydag Andrea'n gwneud gwaith cysylltiadau cyhoeddus llawrydd a minnau'n ceisio peidio â mynd yn wallgof.

Ond o tua mis Ebrill 2000, mae'n debyg, dechreuodd y pethau da ddod ar gael. Roedd y pethau gwael yn dal yno. I ddechrau, roedd y pethau gwael yno'r rhan fwyaf o'r amser. Y mis Ebrill hwnnw, tua 0.0001 y cant oedd canran y pethau da. Yn eu plith roedd teimlo'r haul cynnes ar fy wyneb wrth i Andrea a minnau gerdded o'n fflat yn un o'r maestrefi i ganol y ddinas. Fe barodd cyhyd â'r heulwen ac yna fe ddiflannodd. Ond o hynny ymlaen, roeddwn i'n gwybod y gallwn gael gafael ynddo. Roedd bywyd ar gael i mi eto. Ac felly, ym mis Mai, cynyddodd y 0.0001 y cant i 0.1 y cant.

Roeddwn i'n codi.

Wedyn, ar ddechrau mis Mehefin, dyma ni'n symud i fflat yng nghanol y ddinas.

Yr hyn roeddwn i'n ei hoffi'n fawr am y lle oedd y golau. Y waliau gwyn a'r llawr annaturiol wedi'i lamineiddio yn dynwared y pren goleuaf posib, a'r ffenestri cyfoes sgwâr oedd yn llenwi rhan helaeth o'r waliau a'r ffaith fod y soffa rad a ddarparwyd gan y perchennog yn wyrddlas.

Wrth gwrs, roeddwn i'n dal yn Lloegr. Yn dal yn Swydd Efrog. Roedd golau dydd yn brin. Ond fydden ni ddim yn gallu gwneud yn well ar ein cyllideb ni, neu fymryn tu hwnt i'n cyllideb ni, ac roedd yn sicr yn well na'r fflat myfyrwyr gyda'i garpedi lliw gwin coch a'i gegin frown. Roedd soffa wyrddlas yn well na llwydni gwyrddlas.

Goleuni oedd popeth. Heulwen, ffenestri â'r bleinds ar agor. Tudalennau gyda phenodau byrion a digonedd o ofod gwyn a

Pharagraffau.

Byr.

Goleuni oedd popeth.

Ond roedd llyfrau hefyd yn fwyfwy pwysig. Roeddwn i'n darllen a darllen a darllen gyda brwdfrydedd na phrofais ei debyg cyn hynny. Cofiwch, roeddwn i wastad wedi meddwl amdanaf fy hun fel rhywun a oedd yn hoff o lyfrau. Ond mae gwahaniaeth rhwng hoffi llyfrau a bod angen llyfrau. Roedd arna i *angen* llyfrau. Nid rhyw nwyddau moethus oedden nhw yn ystod y cyfnod hwnnw. Roedden nhw'n sylwedd Dosbarth A caethiwus. Fe fyddwn i wedi bod yn ddigon bodlon mynd i ddyled fawr er mwyn darllen (ac fe wnes i). Dwi'n credu i mi ddarllen mwy o lyfrau yn ystod y chwe mis hynny nag yn ystod pum mlynedd o addysg brifysgol, ac roeddwn i'n sicr wedi cael fy llyncu'n ddyfnach gan y bydoedd a luniwyd ar y tudalennau.

Mae yna ryw syniad eich bod chi naill ai'n darllen i gael dihangfa neu'n darllen i ganfod eich hun. Dydw i ddim wir yn gweld y gwahaniaeth. Rydyn ni'n canfod ein hunain yn ystod y broses o ddianc. Nid ble'r ydyn ni sy'n bwysig, ond ble'r ydyn ni eisiau mynd iddo, ac ati. Dyna oedd cwestiwn enwog Sylvia Plath – 'Oes yna ddim ffordd allan o'r meddwl?' Roedd y cwestiwn hwnnw wedi fy niddori (beth roedd o'n ei feddwl, beth oedd yr atebion posib) byth ers i mi ei weld mewn llyfr o ddyfyniadau pan oeddwn yn fy arddegau. Os oes ffordd allan, ffordd wahanol i angau ei hun, yna drwy eiriau mae canfod y ffordd honno. Ond yn hytrach na gadael y meddwl yn llwyr, mae geiriau'n ein helpu ni i adael un meddwl ac yn darparu'r blociau i ni allu adeiladu un arall, tebyg ond gwell, wrth ymyl yr hen un ond gyda sylfaen gadarnach, a gyda golygfa well yn aml iawn.

'Pwrpas celfyddyd yw rhoi ffurf i fywyd,' yn ôl Shakespeare. Ac roedd fy mywyd i – a'm meddwl blêr – angen ffurf. Roeddwn i wedi 'colli'r plot'. Doedd dim llinell storïol gen i, dim ond llanast ac anhrefn. Felly oeddwn, roeddwn i'n hoff iawn o naratifau allanol oherwydd eu bod yn cynnig gobaith. Ffilmiau. Dramâu teledu. Ac yn bennaf oll, llyfrau. Roedden nhw'n rheswm dros aros yn fyw. Mae pob llyfr a ysgrifennwyd erioed yn gynnyrch meddwl dynol mewn cyflwr penodol. Crynhowch bob llyfr ynghyd a dyna gyfanswm y ddynoliaeth. Bob tro y byddwn i'n darllen llyfr gwych roeddwn i'n teimlo fel pe bawn i'n darllen math o fap, map trysor, a'r trysor ar ben draw'r daith mewn gwirionedd oedd fi fy hun. Ond roedd pob map yn anghyflawn, a dim ond drwy ddarllen y llyfrau i gyd y byddwn i'n darganfod y trysor, felly roedd dod o hyd i'r fersiwn orau ohonof i fy hun yn gyrch diddiwedd. Ac roedd llyfrau eu hunain yn ymddangos i mi fel petaen nhw'n adlewyrchu'r syniad hwn. A dyna pam mae modd crynhoi plot pob llyfr i'r geiriau 'rhywun yn chwilio am rywbeth'.

Un ystrydeb ynghylch darllenwyr brwd yw eu bod yn bobl unig, ond i mi, ffordd o ddianc rhag unigrwydd oedd llyfrau. Os ydych chi'r math o berson sy'n meddwl gormod am bethau, does dim byd mwy unig yn y byd na bod yng nghanol criw mawr o bobl ar donfedd gwbl wahanol i chi.

Yn fy iselder dyfnaf, roeddwn i wedi teimlo'n gaeth. Yn cael fy sugno i mewn i dywod gwlyb (sef fy hunllef fwyaf cyson pan oeddwn i'n blentyn). Roedd llyfrau'n ymwneud â symud. Cyrchoedd a theithiau. Dechrau a chanol a diwedd, er nad o reidrwydd yn y drefn honno. Roedden nhw'n ymwneud â phenodau newydd. A gadael hen benodau ar ôl.

A gan mai dim ond ychydig fisoedd cyn hynny roeddwn i wedi colli pwynt geiriau a straeon, a hyd yn oed iaith, roeddwn i'n benderfynol na fyddwn i'n teimlo felly byth eto. Felly dyma fi'n porthi a phorthi a phorthi.

Arferwn eistedd yn darllen wrth olau'r lamp yn ymyl fy ngwely, am tua dwyawr wedi i Andrea fynd i gysgu, nes bod fy llygaid yn sych a dolurus, wastad yn chwilio ond byth wir yn canfod, ond gyda'r ymdeimlad hwnnw fy mod i'n beryglus o agos.

The Power and the Glory

UN O'R LLYFRAU dwi'n cofio'i ddarllen – neu'n hytrach ei ailddarllen – oedd *The Power and the Glory* gan Graham Greene.

Roedd Graham Greene yn ddewis diddorol. Roeddwn i wedi astudio gwaith yr awdur wrth wneud MA ym Mhrifysgol Leeds. Wn i ddim pam ddewisais i'r modiwl hwnnw. Doeddwn i'n gwybod fawr ddim am Graham Greene. Roeddwn i wedi clywed am *Brighton Rock* ond erioed wedi'i ddarllen. Roeddwn i hefyd wedi clywed iddo fyw yn Swydd Nottingham am gyfnod a'i fod wedi casáu'r profiad. Roeddwn i wedi byw yn Swydd Nottingham, ac – ar y pryd – roeddwn innau yn amlach na pheidio wedi casáu'r profiad hefyd. Hwyrach mai dyna'r rheswm.

Am yr wythnosau cyntaf, teimlwn i mi wneud camgymeriad sylweddol. Fi oedd yr unig berson i ddewis y modiwl. Ac roedd y tiwtor yn fy nghasáu i. Wn i ddim ai 'casáu' yw'r gair iawn, ond doedd o'n sicr ddim yn fy *hoffi* i. Roedd yn Babydd, bob amser yn gwisgo'n ffurfiol, ac yn siarad â mi gyda dirmyg tawel.

Roedd yr oriau hynny'n rhai hirion, gyda'r un ymdeimlad

o lawenydd hamddenol ag apwyntiad meddygol i archwilio'r ceilliau. Yn aml, mae'n siŵr fy mod i'n drewi o gwrw oherwydd fe fyddwn i'n yfed can neu ddau o gwrw ar y daith trên i Leeds (o Hull, lle'r oedd Andrea a minnau'n dal i fyw). Ar ddiwedd y modiwl ysgrifennais y traethawd gorau i mi ei ysgrifennu erioed, a chael marc o 69 y cant. Un yn brin o ragoriaeth. Ystyriais hynny'n sarhad personol.

Beth bynnag, roeddwn i wrth fy modd â Graham Greene. Roedd ei weithiau'n llawn anesmwythdra y gallwn ymdeimlo ag o. Ac roedd pob math o anesmwythdra ar gael. Euogrwydd, rhyw, Catholigiaeth, cariad diwobrwy, chwant gwaharddedig, gwres trofannol, gwleidyddiaeth, rhyfel. Roedd popeth yn anesmwyth, heblaw'r rhyddiaith.

Roeddwn wrth fy modd â'i arddull. Sut y byddai'n cymharu rhywbeth diriaethol â rhywbeth haniaethol. 'Yfodd y brandi fel damnedigaeth.' Bellach, roeddwn i'n gwirioni fwy fyth ar y dechneg hon, gan fod y ffin rhwng y byd materol a'r byd anfaterol yn fwy annelwig. Diolch i'r iselder. Roedd fy nghorff i fy hun, hyd yn oed, yn teimlo'n afreal a haniaethol a rhannol ffuglennol.

Mae *The Power and the Glory* yn adrodd hanes offeiriad amheus ei foesau yn teithio drwy Fecsico yn y 1930au, cyfnod pan oedd Catholigiaeth yn anghyfreithlon. Drwy gydol y nofel, mae'n cael ei erlid gan heddwas sydd ar ei drywydd.

Roeddwn i'n hoffi'r stori pan ddarllenais i hi gyntaf yn y brifysgol, ond roeddwn i'n gwirioni arni'r eildro. Ar ôl ymylu ar fod yn alcoholig yn Ibiza, doedd teimlo empathi

139

gyda dyn oedd yn ymylu ar fod yn alcoholig ym Mecsico ddim yn dasg ry anodd.

Mae'n llyfr dwys a thywyll. Ond pan fyddwch chi'n teimlo'n ddwys ac yn dywyll, dyna'r unig fath o lyfr sy'n mynd i gyfathrebu â chi. Ond roedd rhyw fath o optimistiaeth iddo hefyd. Y posibilrwydd o waredigaeth. Mae'n llyfr am rym iachusol cariad.

'Diffyg dychymyg yw casineb,' meddir.

Ond hefyd: 'Mae wastad un ennyd yn ystod ein plentyndod pan mae'r drws yn agor ac yn gadael y dyfodol i mewn.' Mae profiad yn amgylchynu diniweidrwydd, a wnewch chi byth adfer diniweidrwydd unwaith y mae wedi'i golli. Fel llawer o'i lyfrau, mae'r llyfr hwn yn ymwneud ag euogrwydd Pabyddol. Ond i mi, llyfr am iselder oedd hwn. Roedd Graham Greene yn dioddef iselder. Ers pan oedd yn blentyn, pan gafodd ei fwlio yn yr ysgol lle'r oedd ei dad amhoblogaidd yn brifathro. Roedd wedi rhoi hanner cynnig ar gyflawni hunanladdiad gyda gêm unig o rwlét Rwsiaidd. Yr euogrwydd seicolegol sy'n dod yn sgil iselder oedd yr euogrwydd i mi, nid euogrwydd ysbrydol Pabyddiaeth. Ac roedd yn helpu i leddfu'r unigrwydd sy'n dod yn sgil y salwch.

*

Dyma rai o'r llyfrau eraill a ddarllenais bryd hynny:

Invisible Cities, Italo Calvino – y llyfr mwyaf prydferth. Dinasoedd dychmygol, pob un ychydig fel Fenis ac eto'n hollol wahanol i Fenis. Breuddwydion ar dudalen. Mor afreal fel y gallen nhw bron ddisodli fy ngweledigaethau meddyliol rhyfedd.

The Outsiders, S. E. Hinton – y llyfr a'm hysgogodd i ddarllen go iawn pan oeddwn i'n ddeg oed. Hwn, byth ers hynny, yw fy hoff lyfr i'w ddarllen fel 'dihangfa'. Mae America'n diferu o bob tudalen ac mae'n llawn deialog bendigedig o sentimental. (Fel: 'Stay gold, Ponyboy', sy'n cael ei yngan gan Johnny ar ei wely angau, ar ôl darllen y gerdd 'Nothing Gold Can Stay' gan Robert Frost.)

The Outsider, Albert Camus – roedd dieithriaid yn fy nenu i. Ac anobaith dirfodol. Roedd dideimladrwydd y rhyddiaith yn rhyfeddol o gysurlon.

The Concise Collins Dictionary of Quotations – mae dyfyniadau'n hawdd eu darllen.

Letters of Keats – roeddwn i wedi astudio Keats yn y brifysgol. Roedd y bardd ifanc nodweddiadol yn groendenau, yn ddwys ac yn ddiobaith, ac roeddwn innau'n teimlo'r pethau hyn.

Oranges Are Not the Only Fruit, Jeanette Winterson – roeddwn wrth fy modd gyda gwaith Jeanette. Roedd cryfder neu ddoethineb ym mhob gair. Fe agorwn y llyfr a darllen brawddegau ar hap a oedd yn gallu siarad â mi. 'Mae'n ymddangos fy mod wedi rhedeg mewn cylch enfawr ac wedi cyfarfod â mi fy hun drachefn ar y llinell gychwyn.'

Vox, Nicholson Baker – nofel sy'n cynnwys dim byd ond hanes un achlysur o ryw dros y ffôn, a oedd wedi fy nghyffroi a'm hudo pan oeddwn i'n 16 oed. Eto, hawdd ei darllen, ac yn llawn rhyw, neu'r syniad o ryw, ac i feddwl ifanc wedi'i lethu gan orbryder, mae meddwl am ryw yn gallu bod yn ffordd wych o ddwyn ei sylw.

Money, Martin Amis – roedd *Money* yn llyfr roeddwn i'n ei adnabod tu chwith allan. Ysgrifennais draethodau amdano. Roedd yn llawn rhyddiaith oedd yn feiddgar, rhodresgar, miniog, doniol a *macho* (ond braidd yn atgas ar adegau). Roedd rhyw ddwyster yn perthyn iddo. A rhyw harddwch trist yng nghanol y comedi. ('Bob awr, mae rhywun yn mynd yn wannach. Weithiau, wrth i mi eistedd ar fy mhen fy hun yn fy fflat yn Llundain yn syllu ar y ffenest, dwi'n meddwl mor ddigalon, mor drwm, yw gwylio'r glaw heb wybod pam ei fod yn disgyn.')

The Diary of Samuel Pepys – yn benodol, darllenais y darn am y Tân Mawr a'r pla. Roedd rhywbeth therapiwtig ynglŷn â'r ffordd y byddai Pepys yn bwrw 'mlaen yn ddigon siriol drwy rai o ddigwyddiadau mwyaf apocalyptaidd bywyd yn yr ail ganrif ar bymtheg.

The Catcher in the Rye, J. D. Salinger – oherwydd roedd Holden yn hen ffrind i mi.

The Penguin Book of First World War Poetry – roedd cerddi fel 'Strange Hells' gan Ivor Gurney ('The heart burns – but has to keep out of face how heart burns') a 'Mental Cases' gan Wilfred Owen (sy'n disgrifio cleifion yn dioddef sielsioc mewn ysbyty meddwl) yn fy nghyfareddu ond yn fy anesmwytho'r un pryd. Doeddwn i erioed wedi profi rhyfel, ond roeddwn i'n adnabod y teimlad o boen fyddai'n dod gyda phob gwawr newydd – 'Dawn breaks open like a wound that bleeds afresh'. Cawn fy hudo gan y tebygrwydd rhwng symptomau iselder a gorbryder ac anhwylder straen wedi trawma. Oedden ni wedi profi rhyw drawma nad oedden ni'n ymwybodol ohono? Ai sŵn a chyflymder bywyd cyfoes oedd yn peri trawma i'n hymennydd Oes y Cerrig? Oeddwn i mor feddal â hynny? Neu a oedd bywyd yn fath o ryfel nad oedd y rhan fwyaf o bobl yn ei weld?

A History of the World in Ten and a Half Chapters, Julian Barnes – dim ond oherwydd ei fod yn llyfr roeddwn i wedi'i ddarllen a'i fwynhau o'r blaen, llyfr doniol a rhyfedd roeddwn i'n gwbl gyfarwydd ag o.

Wilderness Tips, Margaret Atwood – straeon byrion. Bryniau llai i'w dringo. Stori o'r enw 'True Trash' oedd fy ffefryn i. Am fechgyn yn eu harddegau yn blysio am weinyddesau.

Wide Sargasso Sea, Jean Rhys – y 'gyn-stori' i *Jane Eyre*. Am y 'ddynes wallgof yn yr atig' a'i chwymp i grafangau gwallgofrwydd. Mae wedi'i lleoli'n bennaf yn y Caribî. Yr anobaith a'r unigrwydd ym mharadwys oedd yn fy nenu fwyaf, teimlo'n ofnadwy yn 'y lle prydferthaf yn y byd', ac roedd hynny'n fy atgoffa o'r wythnos olaf honno yn Sbaen.

Paris

Roedd hi ar fin datgelu fy syrpréis pen-blwydd.

'Rydyn ni'n mynd i Baris. Yfory. Rydyn ni'n mynd i Baris yfory! Rydyn ni'n dal yr Eurostar.'

Roeddwn i mewn sioc. Allwn i ddim dychmygu neb yn dweud dim byd mor arswydus. 'Alla i ddim. Alla i ddim mynd i Baris.'

Roedd o'n digwydd. Pwl o banig. Roeddwn i'n dechrau ei deimlo yn fy mrest. Yn dechrau teimlo fel roeddwn i'n ôl yn 2000. Fel pe bawn i'n gaeth tu mewn i mi fy hun, fel pry gorffwyll mewn pot jam.

'Wel, rydyn ni'n mynd. Rydyn ni'n aros yn y chweched *arrondissement*. Fe fydd hi'n wych. Rydyn ni'n aros yn y gwesty lle bu Oscar Wilde farw. L'Hôtel, dyna'i enw.'

Doedd mynd i'r fan lle bu Oscar Wilde farw ddim yn gwneud pethau fymryn yn well. Y cyfan a wnâi oedd gwarantu y byddwn innau'n marw yno hefyd. Marw ym Mharis, yn union fel Oscar Wilde. Roeddwn i hefyd yn dychmygu y byddai'r aer yn fy lladd i. Roeddwn i heb fod dramor ers pedair blynedd.

'Dw i ddim yn meddwl y bydda i'n gallu anadlu'r aer.' Roeddwn i'n gwybod bod hyn yn swnio'n wirion. Doeddwn i ddim yn wallgof! Ac eto, doedd dim gwadu'r ffaith: *Doeddwn i ddim yn meddwl y byddwn i'n gallu anadlu'r aer.*

Ar ryw bwynt wedi hynny, roeddwn i'n gorwedd yn belen, fel babi yn y groth, y tu ôl i'r drws. Roeddwn i'n crynu. Wn i ddim a oedd unrhyw un wedi ofni Paris yn fwy na hyn ers Marie Antoinette. Ond roedd Andrea yn gwybod beth i'w wneud. Roedd ganddi ddoethuriaeth yn y math yma o beth bellach. Dyma hi'n dweud: 'Iawn, awn ni ddim. Alla i ganslo'r gwesty. Mae'n bosib y collwn ni ychydig o arian, ond os ydy o'n gymaint o beth...'

Cymaint o beth.

Prin o hyd y gallwn i gerdded ugain metr ar fy mhen fy hun heb ddioddef pwl o banig. Doedd 'na ddim byd a oedd gymaint â hyn. Mae'n debyg ei fod fel dweud wrth berson normal fod rhaid iddo gerdded yn noeth o gwmpas Tehran neu rywbeth.

Ond.

Pe bawn i'n dweud 'na', fe fyddwn i'n berson sy'n methu mynd dramor oherwydd bod ganddo ormod o ofn. A byddai hynny'n fy ngwneud i'r un peth â pherson gwallgof, a fy ofn mwyaf – mwy na marwolaeth, hyd yn oed – oedd mynd yn gwbl wallgof. Colli fy hun yn llwyr i'r ellyllon. Felly, fel sy'n digwydd mor aml, trechwyd ofn mawr gan ofn mwy.

Y ffordd orau o drechu bwystfil yw drwy ddod o hyd i un mwy arswydus fyth.

A dyma fi'n mynd i Baris. Daliodd twnnel y Sianel yn gyfan a wnaeth y môr ddim disgyn ar ein pennau. Roedd yr aer ym Mharis yn gweithio'n iawn gyda fy ysgyfaint. Er mai prin y medrwn yngan gair yn y tacsi. Roedd y siwrnai o'r Gare du Nord i'r gwesty yn llethol. Roedd rhyw fath o orymdaith yn digwydd ar lannau'r Seine, gyda baner fawr goch yn cyhwfan fel y Tricolore yn *Les Misérables.*

Pan gaeais fy llygaid y noson honno, methais gysgu am oriau oherwydd fy mod i'n gweld Paris yn gwibio heibio yr un mor gyflym ag y symudai drwy ffenest y tacsi. Ond fe dawelais. Chefais i ddim un pwl go iawn o banig yn ystod y pedwar diwrnod canlynol. Dim ond rhyw lefel uchel o orbryder cyffredinol wrth gerdded ar hyd y Rive Gauche a'r Rue de Rivoli ac yn y bwyty ar do Canolfan Pompidou. Roeddwn i'n dechrau gweld mai'r therapi gorau weithiau oedd gwneud rhywbeth a oedd wedi peri arswyd i mi, a goroesi. Os ydych chi'n dechrau ofni mynd allan, ewch allan. Os ydych chi'n ofni mannau cyfyng, treuliwch amser mewn lifft. Os ydych chi'n dioddef o orbryder gwahanu, gorfodwch eich hun i dreulio amser ar eich pen eich hun. Pan ydych chi'n isel ac yn orbryderus, mae eich 'cylch cysurus' yn tueddu i grebachu o faint y byd i faint gwely. Neu gyn lleied â dim byd o gwbl.

Dyna i chi beth arall. Cael eich ysgogi. Eich cyffroi. Fel sy'n digwydd mewn lle newydd. Weithiau, gall hyn fod yn arswydus, ond gall hefyd eich rhyddhau. Mewn lle cyfarwydd, mae'r meddwl yn canolbwyntio'n llwyr arno'i hun. Does dim byd newydd mae angen iddo sylwi arno yn eich llofft. Dim bygythiadau allanol posib, dim ond rhai mewnol. Drwy orfodi'ch hun i fod mewn gofod corfforol newydd – ac os yw hwnnw mewn gwlad wahanol, gorau oll – mae'n anochel y byddwch yn canolbwyntio ychydig yn galetach ar y byd y tu allan i'ch meddwl.

Wel, dyna sut weithiodd o i mi. Yr ychydig ddyddiau hynny ym Mharis.

A dweud y gwir, roeddwn i'n teimlo'n fwy normal na phan oeddwn i gartref, am fod fy lletchwithdod gorbryderus cyffredinol yn gallu ymddangos i dramorwyr fel y lletchwithdod hwnnw sy'n nodweddu Prydeinwyr.

Mae llawer o bobl ag iselder yn troi at deithio er mwyn lleddfu'u symptomau. Fel llawer o artistiaid eraill sy'n atgyfnerthu'r ystrydeb, roedd yr arlunwraig Americanaidd flaenllaw Georgia O'Keeffe yn dioddef iselder gydol ei bywyd. Ym 1933, a hithau'n 46 oed, fe'i hanfonwyd i ysbyty yn dilyn cyfnodau o wylo afreolus, anallu yn ôl pob golwg i fwyta na chysgu, a symptomau eraill o iselder a gorbryder.

Yn ôl ei chofiannydd, Roxana Robinson, wnaeth cyfnod yn yr ysbyty ddim llawer o ddaioni iddi. Yr hyn wnaeth weithio iddi oedd teithio. Aeth i Bermuda ac i Lyn George yn nhalaith Efrog Newydd, ac i Maine a Hawaii. 'Cynhesrwydd, tawelwch digyffro ac unigedd roedd ar Georgia eu hangen,' meddai ei chofiannydd.

Wrth gwrs, dydy teithio ddim yn ateb bob tro. Nac o reidrwydd yn opsiwn. Ond mae cael y cyfle i fynd oddi cartref yn sicr yn fy helpu i. Yn fwy na dim, dwi'n credu ei fod yn help i ni gael gwell persbectif ar bethau. Hwyrach ein bod ni'n gaeth i'n meddyliau, ond dydyn ni ddim yn gorfforol gaeth. Ac mae rhyddhau ein hunain o'n lleoliad corfforol yn gallu helpu i ddisodli ein cyflwr meddyliol anhapus. Symud yw gwrthgyffur ansymudedd, wedi'r cyfan. Ac mae'n helpu. Weithiau. Dim ond weithiau.

'Mae teithio'n eich gwneud chi'n wylaidd,' meddai Gustave Flaubert. 'Rydych chi'n gweld lle mor bitw rydych chi'n ei lenwi yn y byd.' Mae persbectif o'r fath yn gallu bod yn rhyfeddol o ryddhaol. Yn enwedig pan fyddwch chi'n dioddef o salwch sy'n gostwng eich hunan-werth ar y naill law ac yn chwyddo'r pethau dibwys ar y llaw arall.

Dwi'n cofio gwylio *The Aviator*, bywgraffiad Martin Scorsese o Howard Hughes, yn ystod pwl byr o iselder. Mewn un rhan mae Katharine Hepburn, sy'n cael ei phortreadu'n wych gan Cate Blanchett, yn troi at Howard Hughes (Leonardo DiCaprio) ac yn dweud: 'Mae 'na ormod o Howard Hughes yn Howard Hughes.' Yn y fersiwn ffilm o'i fywyd, o leiaf, dangoswyd sut y cyfrannodd yr ymdeimlad dwys hwnnw ag ef ei hunan at yr anhwylder gorfodaeth obsesiynol a fyddai yn y pen draw yn ei garcharu mewn ystafell gwesty yn Las Vegas.

Ar ôl i'r ffilm orffen, fe ddywedodd Andrea wrthyf fod gormod o Matt Haig yn Matt Haig. Hanner tynnu coes oedd hi, ond roedd rhyw wirionedd y tu ôl i'w geiriau. Felly i mi, mae unrhyw beth sy'n lleddfu'r ymwybod eithafol hwnnw â'r hunan, sy'n gwneud i mi deimlo fel fi ond a'r sain wedi'i gostwng, yn rhywbeth i'w groesawu. A byth ers y daith honno i Baris, mae teithio wedi bod yn un o'r pethau hynny.

Rhesymau dros fod yn gryf

ROEDD HI'N 2002. Roeddwn i yn y man hwnnw yn fy adferiad lle roeddwn i'n teimlo'n well o hyd, ond dim ond o'i gymharu â'r pethau gwaeth o lawer a brofais o'r blaen. Mewn gwirionedd, roeddwn i'n dal i fod yn dalp o orbryder ar ddwy goes, yn rhy ffobig i gymryd unrhyw fath o feddyginiaeth, ac yn grediniol bod fy nhafod yn chwyddo bob tro y byddwn i'n bwyta corgimychiaid neu fenyn cnau mwnci neu unrhyw fwyd roedd hi'n bosib bod ag alergedd iddo. Roeddwn i hefyd angen bod yn agos at Andrea. Os oeddwn i'n agos at Andrea, roeddwn i'n sylweddol dawelach fy meddwl.

Y rhan fwyaf o'r amser, doedd hynny ddim yn gwneud i mi deimlo fel rhyw greadur od. Roeddwn i ac Andrea yn cyd-fyw a chydweithio yn yr un fflat dirodres. Doedden ni ddim wir yn adnabod neb yn gymdeithasol. O'r ddau ohonon ni, fi oedd yr un oedd eisiau mynd allan i gyfarfod â phobl fel arfer, ac roedd yr ysfa honno bellach wedi mynd.

Ond yn 2002, cafodd mam Andrea ddiagnosis am ganser yr ofari, ac yn ddigon dealladwy, fe newidiodd pethau. Fe aethon ni i fyw at ei rhieni yn Swydd Durham tra bu Freda'n cael cemotherapi. Bellach, nid yn unig roedd gan Andrea gariad gydag iselder y bu hithau'n treulio tair blynedd yn ceisio'i drwsio, roedd ganddi hefyd fam gyda chanser.

Roedd yn crio'n aml. Teimlwn fel bai'r baton yn cael ei gyfnewid. Fy nhro i oedd hi i fod yn gryf.

Pan glywodd hi am ei mam gyntaf, eisteddodd ar ymyl y gwely a chrio fel na welais hi'n crio erioed o'r blaen. Rhoddais fy mraich o'i chwmpas a theimlo iaith yn crebachu'n sydyn fel sy'n digwydd pan fydd rhywbeth gwirioneddol ofnadwy yn digwydd. Yn ffodus, roedd Andrea yno i gynnig help llaw.

'Jest dwed fod pethau'n mynd i fod yn iawn,' meddai.

'Mae pethau'n mynd i fod yn iawn.'

Ddeufis yn ddiweddarach, roeddwn i ar fy mhen fy hun yn nhŷ fy narpar rieni yng nghyfraith, yn erfyn ar Andrea i gael mynd gyda nhw i'r ysbyty.

'Mae'n rhaid i fi fynd â Mam i'r ysbyty,' meddai hithau.

'Iawn. Fe ddof i efo ti.'

'Maen nhw eisiau i rywun aros i agor y drws i David.' David oedd brawd Andrea, ac roedd ar ei ffordd o Lundain.

'Alla i ddod efo ti.'

'Matt, plis.'

'Alla i ddim gwneud hyn. Gorbryder gwahanu. Fydda i'n cael pwl o banig.'

'Matt, dwi'n gofyn i ti. Mae Mam yn sâl. Dydw i ddim eisiau iddi boeni. Rwyt i'n bod yn hunanol.'

'Ffyc. Shit. Mae'n ddrwg gen i. Ond dwyt ti ddim yn deall.'

'Elli di wneud hyn.'

'Ddof i ddim drwyddi. Elli di ddim dweud wrth dy rieni fod yn rhaid i fi ddod hefyd?'

'Iawn. O'r gorau. Iawn. Mi wna i.'

Dyna pryd ddigwyddodd o, y switsh yn symud. 'Na.'

'Na beth?'

'Wna i o. Wna i aros. Wna i aros yn y tŷ.'

'Wir?'

'Gwnaf.'

'Wna i adael rhif ffôn yr ysbyty.'

'Mae'n iawn,' meddwn i, gan fod mor wirion â dychmygu mai dyma, o bosib, fyddai'r geiriau olaf y byddwn i'n eu dweud wrthi. 'Allwn i ddod o hyd iddo fo.'

'Wna i ei adael o beth bynnag.'

'Diolch.'

'Mae'n iawn. Well i ti fynd.'

Wrth aros iddyn nhw ddychwelyd gydag Andrea o'r ysbyty fe wnes i gerdded o ystafell i ystafell. Roedd llwyth o addurniadau porslen ganddyn nhw. Little Bo Peep. Pink Panther yn eistedd a'i goesau wedi'u croesi, a'r rheini'n hongian i lawr dros sil y ffenest. Roedd ei lygaid melyn llydan yn fy nilyn i o gwmpas y lolfa.

Yn ystod y deg munud cyntaf roedd fy nghalon i'n curo fel gordd. Doeddwn i prin yn gallu anadlu. Roedd Andrea wedi marw. A'i rhieni hefyd. Roedd y delweddau dychmygol o'r ddamwain car yn rhy fyw iddyn nhw beidio â bod yn wir. Yna aeth ugain munud heibio. Roeddwn i'n mynd i farw. Roed gen i boen yn fy mrest. Efallai mai canser yr ysgyfaint oedd o. Dim ond 27 oeddwn i, ond roeddwn i wedi smygu'n drwm. Ar ôl hanner awr, galwodd cymdoges i holi hynt Freda. Ar ôl deugain munud, roedd yr adrenalin yn dechrau setlo. Roeddwn i wedi treulio deugain munud ar fy mhen fy hun ac roeddwn i'n dal yn fyw. Ar ôl hanner can munud, roeddwn i eisiau iddyn nhw fod oddi cartref am awr fel y gallwn i deimlo'n gryfach fyth. Hanner can munud! Tair blynedd o orbryder gwahanu yn cael ei wella mewn ychydig o dan awr!

Afraid dweud eu bod nhw wedi dod yn ôl.

Bu'n haf ofnadwy, ond roedd y canlyniad yn ddigon braf. Er gwaetha'r rhagolygon echrydus, daeth mam Andrea drwyddi. Fe wnaethon ni hyd yn oed lwyddo i newid ei brecwast dyddiol o fisged i ffrwyth ciwi. Roedd gen i resymau i orfodi fy hun i fod yn gryf. I roi fy hun mewn sefyllfaoedd y byddwn i wedi'u hosgoi fel arall. Mae angen i chi fod yn anghyfforddus. Mae angen i chi frifo. Fel y dywedodd y bardd Persiaidd, Rumi, yn y ddeuddegfed ganrif, 'Y clwyf yw'r fan lle mae'r goleuni'n dod i mewn i chi.' (Ef hefyd ysgrifennodd y geiriau: 'Anghofiwch ddiogelwch. Ewch i fyw lle rydych chi'n ofni byw.') Yn ogystal â hynny, fe heriais fy meddwl drwy ysgrifennu fy nofel go iawn gyntaf. Nid am resymau gyrfaol yn bennaf (ailbobiad oedd y nofel o *Henry IV* gan Shakespeare, gyda chŵn yn siarad, felly fyddai hi byth yn codi i uchelfannau rhestr y gwerthwyr gorau), ond i gadw fy hun yn brysur. Ond ddwy flynedd yn ddiweddarach, diolch i anogaeth

Andrea, byddai'n llyfr cyhoeddedig go iawn. Fe wnes i gyflwyno'r llyfr i Andrea, wrth reswm, ond nid llyfr oedd fy unig ddyled iddi, ond fy mywyd cyfan.

Arfau

Fy asiant. 'Mae gen ti gyhoeddwr.'

'Beth?'

'Dwi newydd gael yr alwad. Rwyt ti'n mynd i fod yn awdur cyhoeddedig.'

'*Beth?* O ddifri?'

'O ddifri.'

Cadwodd y newyddion yma fi i fynd am tua chwe mis.

Am tua chwe mis, cafwyd ateb artiffisial i fy niffyg hunan-werth. Fe fyddwn i'n gorwedd yn fy ngwely ac yn mynd i gysgu dan wenu, yn meddwl *Waw, dwi'n dipyn o foi, dwi'n mynd i gael fy nghyhoeddi.*

Ond dydy cael eich cyhoeddi (neu gael swydd wych neu beth bynnag) ddim yn newid eich ymennydd yn barhaol. Ac un noson roeddwn i'n gorwedd yn effro, yn llai na hapus. Dechreuais boeni. Cynyddodd y pryderon. Ac am dair wythnos roeddwn i'n gaeth yn fy meddwl fy hun unwaith eto. Ond y tro hwn, roedd gen i arfau. Un o'r rheini, y pwysicaf o bosib, oedd yr wybodaeth hon: *Rydw i wedi bod yn sâl o'r blaen, ac yna wedi gwella. Mae bod yn iach yn bosib.* Arf arall oedd rhedeg. Roeddwn i'n gwybod sut roedd y corff yn gallu effeithio ar y meddwl, felly dechreuais redeg mwy a mwy.

Rhedeg

MAE RHEDEG YN cael ei enwi'n aml fel ffordd o leddfu iselder a gorbryder. Fe wnaeth yn sicr weithio i mi. Pan ddechreuais i redeg roeddwn i'n dal i ddioddef pyliau gwael iawn o banig. Roeddwn i'n hoffi'r ffaith fod llawer o symptomau corfforol panig – y galon yn rasio, anadlu trafferthus, chwysu – yn digwydd wrth redeg hefyd. Felly, os oeddwn i'n rhedeg doeddwn i'n poeni dim am guriad cyflym fy nghalon oherwydd bod ganddi reswm dros guro'n gyflym.

Yn ogystal, roedd gen i rywbeth arall i feddwl amdano. Fues i erioed y person mwyaf ffit yn y byd, felly roedd rhedeg yn eithaf anodd. Roedd yn brifo. Ond roedd yr ymdrech a'r anghysur yn hoelio'r sylw. Felly fe lwyddais i ddarbwyllo fy hun fy mod i, drwy hyfforddi fy nghorff, hefyd yn hyfforddi fy meddwl. Rhyw fath o fyfyrdod llawn symud.

Mae hefyd yn eich cael chi'n ffit, wrth gwrs, ac mae dod yn ffit yn llesol i bob dim, fwy neu lai. Pan es i'n sâl roeddwn i wedi bod yn yfed ac yn smygu'n drwm, ond roeddwn i bellach yn ceisio dad-wneud y difrod hwnnw.

Felly, fe fyddwn i'n rhedeg bob dydd, neu'n gwneud rhyw ymarfer cardiofasgwlaidd tebyg. Fel Haruki Murakami – y byddwn i'n darllen ei lyfr gwych *What I Talk About When I Talk About Running* maes o law – dysgais fod rhedeg yn ffordd o chwalu'r niwl. (Rhywbeth arall ddywedodd Murakami yw: 'Ymdrechu hyd eithaf eich gallu fel unigolyn: dyna hanfod rhedeg', sy'n rhywbeth arall dwi wedi dod i gredu'n gryf ynddo ac sy'n un o'r rhesymau fy mod i'n credu bod rhedeg yn helpu'r meddwl.)

Byddwn i'n dod adref ar ôl bod yn rhedeg, ymestyn fy nghyhyrau a chael cawod, a theimlo rhyw ryddhad tyner, fel pe bai'r iselder a'r gorbryder y tu mewn i mi'n diflannu'n raddol. Roedd yn deimlad bendigedig. Yn ogystal, daeth yr undonedd hwnnw mae rhedeg yn ei greu – gyda'i drac sain o anadlu trwm a rhythm cyson traed ar balmentydd – yn fath o drosiad ar gyfer iselder. Mae mynd i redeg bob dydd fel cael brwydr gyda chi'ch hun. Mae gadael y tŷ ar fore oer ym mis Chwefror yn ddigon i wneud i chi deimlo eich bod chi wedi cyflawni rhywbeth o bwys. Ond eich dadl ddi-lais â chi'ch hun – *Dwi eisiau stopio! Na, dal ati! Alla i ddim, dydw i prin yn gallu anadlu! Dim ond milltir sydd i fynd! Dwi angen gorwedd! Elli di ddim!* – dadl iselder yw honno, ond ar raddfa lai, a llai difrifol. Felly, i mi, roedd gorfodi fy hun i fynd allan ben bore i lwydni gwlyb ac oer Swydd Efrog, a gwthio fy hun i redeg am awr, yn rhoi mymryn o rym i mi drechu iselder. Rhyw fymryn o'r ysbryd hwnnw sy'n datgan: 'bydd yn ofalus pwy wyt ti'n ei herio'.

Roedd yn helpu, weithiau. Ddim bob tro. Doedd o ddim yn gwbl ddibynadwy. Nid Zeus oeddwn i. Allwn i ddim cynhyrchu mellt hudol. Ond mae'n braf creu, dros y blynyddoedd, gasgliad o bethau rydych chi'n gwybod eu bod nhw'n gweithio – weithiau. Arfau ar gyfer y rhyfel sy'n cilio ond sydd bob amser yn gallu tanio eto. Felly roedd ysgrifennu, darllen, siarad, teithio, ioga, myfyrio a rhedeg ymhlith fy arfau i.

Yr ymennydd yw'r corff – rhan dau

Dwi'n credu bod y term 'salwch meddwl' yn gamarweiniol, gan ei fod yn awgrymu bod yr holl broblemau'n digwydd o'r gwddf i fyny. Gydag iselder, a gorbryder yn enwedig, er bod llawer o'r problemau'n cael eu cynhyrchu gan y meddwl, ac yn poeni'r meddwl, mae effeithiau corfforol hefyd.

Er enghraifft, mae gwefan y Gwasanaeth Iechyd Gwladol yn nodi'r canlynol fel symptomau seicolegol anhwylder gorbryder cyffredinol:

aflonyddwch
ymdeimlad o ofn
teimlo ar bigau'r drain yn gyson
trafferth canolbwyntio
bod yn bigog
diffyg amynedd
pethau'n tynnu'ch sylw o hyd

Ond mae'n ddiddorol nodi bod rhestr y symptomau corfforol yn hwy o lawer:

pendro
syrthni a blinder
pinnau bach
curiad calon afreolaidd (crychguriadau)
poenau a thensiwn yn y cyhyrau
ceg sych
chwysu gormodol
bod yn fyr eich anadl
poen bol
cyfog
dolur rhydd
cur pen
syched gormodol
pasio dŵr yn aml
mislif poenus neu golli'r mislif
anhawster mynd i gysgu neu aros ynghwsg

Mae un symptom, sydd ar goll o restr y GIG ond sydd i'w weld ar restrau eraill, yn symptom corfforol a meddyliol. *Dadwireddiad*. Mae'n symptom real iawn sy'n gwneud i chi deimlo eich bod chi ddim, wel, *yn real*. Dydych chi ddim yn teimlo eich bod chi'n llwyr oddi mewn i'ch corff. Rydych chi'n teimlo fel pe baech chi'n rheoli'ch corff o rywle arall. Mae'n debyg i'r pellter rhwng awdur a'i adroddwr ffuglennol, lled hunangofiannol. Mae eich craidd chi wedi diflannu. Mae'n deimlad meddyliol a chorfforol, sydd unwaith eto'n profi i'r dioddefwr fod gwahanu'r ddau beth mewn modd mor amrwd ag y tueddwn i'w wneud yn gyfeiliornus, ac yn or-syml. Ac efallai ei fod yn rhan o'r broblem hyd yn oed.

Enwogion

MAE ISELDER YN gwneud i chi deimlo'n unig. Dyna un o'i brif symptomau. Felly mae o gymorth i chi wybod nad ydych chi ar eich pen eich hun. O ystyried natur ein cymdeithas, a'r diwylliant enwogion cyffesol hwnnw sydd mor amlwg bellach, rydyn ni'n aml yn clywed am drafferthion pobl enwog. Ond dydy hynny ddim yn bwysig. Gorau po fwyaf y cawn ni ei glywed. Er, dydy hynny ddim yn wir bob tro. Fel rhywun sy'n ysgrifennu, dydw i ddim yn or-hoff o feddwl am Ernest Hemingway a'r hyn wnaeth o gyda'i wn, na phen Sylvia Plath yn ei ffwrn. Doeddwn i ddim hyd yn oed yn hoffi meddwl gormod am rywun nad oedd yn awdur, Vincent Van Gogh, a'i glust. A phan glywais am awdur a edmygwn, David Foster Wallace, yn crogi ei hun ar 12 Medi 2008, ysgogwyd fy mhwl gwaethaf o iselder ers yr Adegau Tywyll Iawn. Ac mae'n wir am bobl sydd ddim yn awduron hefyd. Roeddwn i'n un o filiynau a gafodd nid yn unig eu tristáu gan farwolaeth Robin Williams, ond eu dychryn, fel be bai rhywsut yn ei gwneud yn fwy tebygol y bydden ninnau'n wynebu'r un dynged.

Ond dydy'r rhan fwyaf o bobl ag iselder – hyd yn oed pobl enwog ag iselder – ddim fel arfer yn cyflawni hunanladdiad. Roedd Mark Twain yn dioddef iselder, ond trawiad ar y galon a'i lladdodd o. Lladdwyd Tennessee Williams ar ôl iddo dagu'n ddamweiniol ar gaead potel diferion llygaid a ddefnyddiai'n gyson.

Weithiau, mae rhyw gysur i'w gael dim ond o edrych ar restr o enwau pobl sydd wedi dioddef iselder – neu sy'n dal i ddioddef iselder – ond sydd hefyd wedi cyflawni cymaint, neu'n dal i gyflawni cymaint yn eu bywydau. Felly dyma fy rhestr i:

Buzz Aldrin
Halle Berry
Zach Braff
Russell Brand
Frank Bruno
Alastair Campbell
Jim Carrey
Winston Churchill
Richard Dreyfuss
Carrie Fisher
F. Scott Fitzgerald
Stephen Fry
Judy Garland
Jon Hamm
Anne Hathaway
Billy Joel

Angelina Jolie
Stephen King
Abraham Lincoln
Wolfgang Amadeus Mozart
Isaac Newton
Al Pacino
Gwyneth Paltrow
Dolly Parton
Y Dywysoges Diana
Christina Ricci
Teddy Roosevelt
Winona Ryder
Brooke Shields
Charles Schulz
Ben Stiller
William Styron
Emma Thompson
Uma Thurman
Marcus Trescothick
Ruby Wax
Robbie Williams
Tennessee Williams
Catherine Zeta-Jones

A beth mae hyn yn ei ddysgu i ni? Fod iselder yn gallu taro prif weinidogion ac arlywyddion a chricedwyr a dramodwyr a phaffwyr a sêr ffilmiau comedi mawr Hollywood. Wel, roedden ni'n gwybod hynny. Beth arall? Nad yw enwogrwydd ac arian yn eich amddiffyn rhag problemau iechyd meddwl. Roedden ni'n gwybod hynny hefyd mewn gwirionedd. Hwyrach nad yw'n ymwneud â dysgu dim byd i ni, dim ond fod gwybod am gyfnod Jim Carrey ar Prozac neu anhwylder deubegynol Princess Leia yn ein helpu. Oherwydd er ein bod ni'n gwybod y gall ddigwydd i unrhyw un, does dim posib i ni glywed yn rhy aml *y gall ddigwydd mewn gwirionedd i unrhyw un o gwbl.*

Dwi'n cofio eistedd yn ystafell aros y deintydd yn darllen cyfweliad gyda Halle Berry lle'r oedd hi'n siarad yn agored am yr amser pan eisteddodd yn ei char mewn garej, yn ceisio cyflawni hunanladdiad drwy wenwyno'i hun â charbon monocsid. Dywedodd wrth yr holwr mai'r unig beth a'i rhwystrodd oedd meddwl am ei mam yn dod o hyd i'w chorff.

Fe wnaeth ei gweld hi'n gwenu ac yn edrych yn gryf yn y cylchgrawn hwnnw fy helpu. Mae'n bosib i Photoshop fod ar waith er mwyn hybu'r rhith, ond bid a fo am hynny, roedd hi'n fyw, yn ymddangosiadol hapus ac yn perthyn i'r un rhywogaeth â mi. Felly ydyn, rydyn ni'n hoffi hanesion am adferiad. Rydyn ni'n gwirioni ar strwythur storïol codi-disgyn-codi eto. Mae cylchgronau selébs yn cynnwys straeon o'r fath yn ddiddiwedd.

Mae llawer o sinigiaeth ynghlwm wrth selébs sydd ag iselder, fel pe bai hyn a hyn o lwyddiant a chyfoeth yn diogelu rhywun rhag afiechydon meddwl. Dim ond afiechydon meddwl sydd fel petaen nhw'n denu sylwadau o'r fath. Does neb yn dweud yr un peth am y ffliw, er enghraifft.

Yn wahanol i ffilm neu lyfr, does dim rhaid i iselder fod *am* rywbeth.

Yn ogystal, mae iselder yn aml yn peri i chi deimlo euogrwydd. Mae iselder yn dweud, 'Edrych arnat ti, gyda dy fywyd braf, a dy gariad/gŵr/gwraig/plant/ci/ soffa/dilynwyr Twitter hyfryd, dy swydd dda, dy ddiffyg problemau iechyd corfforol, gwyliau yn Rhufain i edrych 'mlaen ato, dy forgais bron wedi'i dalu'n ôl, dy rieni sydd heb gael ysgariad, dy beth bynnag,' ac ati ac ati ac ati.

A dweud y gwir, mae iselder yn gallu cael ei waethygu gan y ffaith fod pethau allanol yn ymddangos yn ddi-fai, oherwydd mae'r bwlch rhwng yr hyn rydych chi'n ei deimlo a'r hyn mae *disgwyl* i chi ei deimlo yn tyfu. Os ydych chi'n teimlo'r un faint o iselder ag y byddai *disgwyl* i chi ei deimlo mewn gwersyll carcharorion rhyfel, ond eich bod chi'n byw yn rhydd mewn tŷ dymunol, rydych chi wedyn yn meddwl, 'Damia, mae gen i bopeth dwi wedi ei ddeisyfu erioed, felly pam nad ydw i'n hapus?'

Fel y gân gan Talking Heads, mae'n bosib y cewch chi'ch hun mewn tŷ prydferth, gyda gwraig brydferth, yn meddwl sut ddaethoch chi yno. Yn gwylio'r dyddiau. Yn meddwl sut mae pethau'n mynd yn drech na chi. Yn meddwl beth sydd ar goll. Yn meddwl a yw popeth roedden ni wedi breuddwydio'i gael yn gyfeiliornus. Yn meddwl a yw'r ffonau clyfar a'r ystafelloedd ymolchi moethus a'r setiau teledu diweddaraf yn rhan o'r broblem, yn hytrach nag yn rhan o'r ateb. Yn meddwl, ar gêm fwrdd bywyd, a yw popeth roedden ni'n meddwl ei fod yn ysgol mewn gwirionedd yn neidr, sy'n peri i ni lithro'r holl ffordd i lawr i'r gwaelod. Fel y dywedai unrhyw Fwdhydd wrthych chi, bydd gormod o hoffter at bethau materol yn siŵr o arwain at fwy o ddioddefaint.

Dywedir bod gwallgofrwydd yn ymateb rhesymegol i fyd gwallgof. Efallai nad yw iselder yn rhannol yn ddim mwy nag ymateb i fyd nad ydyn ni'n ei ddeall mewn gwirionedd. Wrth gwrs, os meddyliwch chi am y peth, does neb yn llwyr ddeall eu bywyd. Agwedd annifyr ar iselder yw bod meddwl am fywyd yn anochel. Mae iselder yn ein gwneud ni i gyd yn feddylwyr. Does ond rhaid i chi ofyn i Abraham Lincoln.

Abraham Lincoln a'r anrheg ofnadwy

PAN OEDD YN 32 oed, dywedodd Abraham Lincoln: 'Fi bellach yw'r dyn mwyaf truenus ar dir y byw.' Erbyn yr oedran hwnnw roedd wedi profi dwy chwalfa iselder enfawr.

'Pe bai'r hyn rwy'n ei deimlo'n cael ei ddosbarthu'n gyfartal i bob aelod o'r ddynol ryw, ni fyddai un wyneb siriol ar y ddaear gyfan. A fyddaf i'n gwella fyth, ni allaf ddweud; mae gen i deimlad ofnadwy na fyddaf i. Mae aros yn y cyflwr hwn yn amhosib. Rhaid i mi farw neu wella.'

Ac eto, wrth gwrs, er i Lincoln ddatgan yn agored nad oedd yn ofni hunanladdiad, wnaeth o ddim lladd ei hun. Dewisodd fyw.

Mae erthygl wych am 'Iselder Mawr Lincoln' yn *The Atlantic* gan Joshua Wolf Shenk. Ynddi, mae Shenk yn sôn sut y gwnaeth iselder orfodi Lincoln i feithrin dealltwriaeth ddyfnach o fywyd:

> Mynnodd gydnabod ei ofnau. Drwy gydol ei ugeiniau hwyr a'i dridegau cynnar, treiddiodd yn ddyfnach ac yn ddyfnach i'w canol, a phendroni dros yr unig gwestiwn difrifol sy'n rhaid i ddynol ryw fynd i'r afael ag ef, yn ôl Albert Camus. Gofynnodd a allai fyw, a allai wynebu trallod bywyd. Yn y

pen draw, penderfynodd ei bod yn rhaid iddo... Roedd ganddo 'awydd anorchfygol' i gyflawni rhywbeth tra oedd yn fyw.

Roedd yn amlwg yn berson difrifol. Un o bobl ddifrifol mwyaf hanes. Bu'n ymladd brwydrau meddyliol a chorfforol. Hwyrach i'w wybodaeth am ddioddefaint arwain at y math o empathi a ddangosodd pan geisiodd newid y gyfraith ynghylch caethwasiaeth. ('Pryd bynnag y clywaf rywun yn dadlau o blaid caethwasiaeth, rwy'n teimlo ysfa gref i'w weld yn ei phrofi'n bersonol,' meddai.)

Nid Lincoln yw'r unig arweinydd enwog i frwydro yn erbyn iselder. Treuliodd Winston Churchill yntau lawer o'i fywyd yng nghwmni'r 'ci du'. Wrth wylio tân un tro, dywedodd wrth ymchwilydd ifanc a gyflogwyd ganddo: 'Rwy'n gwybod pam mae coed tân yn poeri. Rwy'n gwybod sut beth yw cael eich ysu.'

Mae hynny'n berffaith wir. O ran yr hyn a gyflawnodd yn ystod ei yrfa, mae'n un o'r dynion mwyaf gweithgar a droediodd wyneb daear erioed. Ac eto, teimlai'n gyson ddigalon ac wedi'i lethu gan dywyllwch.

Mae'r athronydd gwleidyddol John Gray – un o fy hoff awduron ffeithiol (darllenwch *Straw Dogs* i weld pam) – yn credu nad 'goresgyn' iselder er mwyn dod yn arweinydd rhyfel da a wnaeth Churchill, ond yn hytrach fod y profiad o ddioddef iselder wedi'i alluogi'n uniongyrchol i wneud hynny.

Mewn erthygl ar gyfer y BBC, mae John Gray yn dadlau mai'r ffaith fod Churchill mor 'eithriadol o agored' i emosiwn dwys sy'n esbonio pam y gallai synhwyro peryglon a oedd y tu hwnt i feddyliau mwy confensiynol. 'I'r rhan fwyaf o wleidyddion a llunwyr barn a oedd eisiau cymodi â Hitler, doedd y Natsïaid fawr mwy na mynegiant croch o genedlaetholdeb Almaenig,' meddai. Roedd angen meddwl anarferol er mwyn mynd i'r afael â bygythiad anarferol. 'Ymweliadau'r ci du a roddodd iddo ragwelediad o'r erchyllterau oedd i ddod.'

Felly, ydy, mae iselder yn hunllef. Ond ydy e'n gallu bod yn brofiad defnyddiol hefyd? Ydy e'n gallu gwella'r byd mewn amryfal ffyrdd?

Weithiau, mae'n amhosib gwadu'r cysylltiad rhwng iselder, gorbryder a chynhyrchiant. Meddyliwch am ddarlun oesol Edvard Munch, *Y Sgrech*, er enghraifft. Nid yn unig mae'n cyfleu'n fanwl gywir mewn darlun sut mae pwl o banig yn teimlo, ond roedd hefyd – yn ôl yr arlunydd ei hun – wedi'i ysbrydoli'n uniongyrchol gan ennyd o arswyd dirfodol. Dyma'r cofnod yn ei ddyddiadur:

Roeddwn i'n cerdded ar hyd y ffordd pan fachludodd yr haul; yn sydyn, trodd yr awyr yn goch fel gwaed. Arhosais a phwyso yn erbyn y ffens, yn teimlo wedi llwyr ymlâdd. Roedd tafodau o dân a gwaed yn ymestyn ar draws y ffiord dulas. Daliodd fy ffrindiau i gerdded, a minnau'n llusgo ar eu holau, yn crynu gan ofn. Yna clywais sgrech enfawr ac anfeidrol natur.

Ond hyd yn oed heb y dystiolaeth ddiymwad o bwl penodol o iselder yn ysgogi gwaith athrylithgar penodol, mae'n amhosib anwybyddu'r niferoedd di-ben-draw o fawrion sydd wedi brwydro yn erbyn iselder. Hyd yn oed heb ganolbwyntio ar y Plaths, yr Hemingways a'r Woolfs a gyflawnodd hunanladdiad, mae'r rhestr o ddioddefwyr iselder adnabyddus yn syfrdanol. Ac yn aml, mae cysylltiad rhwng y salwch a'r gwaith maen nhw'n ei gynhyrchu.

Seiliwyd llawer o waith Freud ar ei ddadansoddiad o'i iselder ei hun, a'r hyn a gredai oedd yr ateb. Cocên oedd yn gweithio iddo fo, ond yna – ar ôl ei ddosbarthu'n hael ymysg dioddefwyr eraill – dechreuodd sylweddoli y gallai fod fymryn bach yn gaethiwus.

Aelod arall o Oriel Anfarwolion Iselder yw Franz Kafka. Bu'n dioddef o orbryder cymdeithasol a'r hyn y mae pobl bellach yn ei adnabod fel iselder clinigol drwy gydol ei oes. Roedd hefyd yn dioddef o hypocondria, ac ofn newidiadau corfforol a meddyliol yn gysgod parhaus. Ond dydy dioddef o hypocondria ddim yn golygu nad ewch chi'n sâl, a phan oedd yn 34 oed fe gafodd Kafka y diciáu. Yn ddiddorol iawn, roedd yr holl bethau a nodwyd fel ffactorau a oedd yn gwella iselder Kafka – nofio, marchogaeth, heicio – i gyd yn weithgareddau corfforol iach.

Does bosib fod y clawstroffobia a'r ymdeimlad o ddiymadferthedd yn ei waith – a ddehonglir mor aml mewn termau gwleidyddol yn unig – yn ganlyniad hefyd i salwch sy'n gwneud i chi deimlo'n glawstroffobig.

Stori enwocaf Kafka yw *Y Metamorffosis*. Mae gwerthwr teithiol yn deffro i ganfod ei fod wedi ei drawsnewid yn drychfil anferth sydd wedi cysgu'n hwyr ac o ganlyniad yn hwyr i'w waith. Ydy, mae'n stori am effeithiau annynol cyfalafiaeth, ond gellir ei darllen hefyd fel trosiad am iselder, yr afiechyd sydd fwyaf nodweddiadol o Kafka. Fel Gregor Samsa, mae'r sawl sydd ag iselder yn gallu deffro weithiau yn yr ystafell lle'r aeth i gysgu, ac eto deimlo'n hollol wahanol. Yn estron iddo'i hun. Yn gaeth mewn hunllef.

Yn yr un modd, a fyddai Emily Dickinson wedi gallu ysgrifennu ei cherdd 'I felt a Funeral, in my Brain' heb fod wedi profi gwewyr meddwl dwys? Wrth gwrs, dydy'r rhan fwyaf o bobl ag iselder ddim yn mynd ymlaen i efelychu Lincoln neu Dickinson neu Churchill neu Munch neu Freud neu Kafka (neu Mark Twain neu Sylvia Plath neu Georgia O'Keeffe neu Ian Curtis neu Kurt Cobain). Ond mae hynny'n wir hefyd am y rhan fwyaf o bobl sy'n rhydd o'r cyflwr.

Mae pobl yn aml yn defnyddio'r ymadrodd 'er gwaethaf' yng nghyd-destun salwch meddwl. Gwnaeth hwn a hwn hyn a hyn *er gwaethaf* ei iselder/gorbryder/OCD/agoraffobia/ beth bynnag. Ond weithiau, dylai'r 'er gwaethaf' fod yn 'oherwydd'. Er enghraifft, dwi'n ysgrifennu oherwydd iselder. Doeddwn i ddim yn awdur cynt. Doedd y dwyster angenrheidiol – er mwyn archwilio pethau gyda chwilfrydedd ac egni diddiwedd – ddim gen i. Mae ofn yn ein gwneud ni'n chwilfrydig. Mae tristwch yn gwneud i ni athronyddu. (Mae 'ai bod, ai peidio â bod?' yn gwestiwn beunyddiol i lawer o ddioddefwyr iselder.)

Gan ddychwelyd at Abraham Lincoln, y prif beth i'w nodi yw bod yr arlywydd wedi dioddef iselder drwy gydol ei oes. Wnaeth o byth ei oresgyn yn llwyr, ond llwyddodd i gyd-fyw ag o a chyflawni pethau anhygoel. 'Ni ellir esbonio unrhyw fawredd a gyflawnwyd gan Lincoln fel buddugoliaeth dros ddioddefaint personol,' meddai Joshua Wolf Shenk yn yr erthygl y soniais amdani gynnau. 'Yn hytrach, rhaid ystyried ei fod yn tarddu o'r un system a gynhyrchodd y dioddefaint hwnnw... nid oherwydd iddo ddatrys problem ei brudd-der y gwnaeth Lincoln waith mor wych; yn syml iawn, roedd problem ei brudd-der yn danwydd ychwanegol ar gyfer tanio'i lwyddiannau.'

Felly hyd yn oed os nad ydyn ni'n llwyddo i oresgyn iselder yn llwyr, gallwn ddysgu defnyddio'r hyn a alwodd y bardd Byron yn 'anrheg ofnadwy'.

Does dim rhaid i ni ei ddefnyddio i reoli gwlad, fel Churchill neu Lincoln. Does dim rhaid i ni ei ddefnyddio i dynnu llun arbennig o dda, hyd yn oed.

Gallwn ei ddefnyddio yn ein bywydau'n unig. Er enghraifft, mae bod yn boenus o ymwybodol o farwoldeb yn gallu fy ngwneud i'n gwbl benderfynol o fwynhau bywyd ble bynnag mae'n bosib ei fwynhau. Mae'n gwneud i mi drysori munudau gwerthfawr yng nghwmni fy mhlant, ac yng nghwmni'r ddynes dwi'n ei charu. Mae'n ychwanegu dwyster mewn ffyrdd gwael, ond mewn ffyrdd sy'n dda yn ogystal.

Mae celf ac egni gwleidyddol ymhlith canlyniadau'r dwyster hwnnw, ond gall ymddangos mewn cant a mil o ffyrdd eraill. Fydd y rhan fwyaf o'r rhain ddim yn eich gwneud chi'n enwog, ond bydd llawer ohonyn nhw, yn y tymor hir, yn cyfoethogi bywyd yn ogystal â'i wanychu.

Mae iselder yn...

Rhyfel mewnol.

Ci du (diolch, Winston Churchill a Dr Johnson).

Twll du.

Tân anweledig.

Sosban bwysedd fawr.

Diafol tu mewn.

Carchar.

Absenoldeb.

Clochen ('Byddwn yn eistedd dan yr un glochen wydr,' ysgrifennodd Sylvia Plath, 'yn stiwio yn fy aer sur fy hun').

Cod maleisus yn system gweithredu'ch meddwl.

Bydysawd cyfochrog.

Brwydr oesol.

Sgilgynnyrch marwoldeb.

Hunllef effro.

Siambr atsain.

Tywyll ac anobeithiol ac unig.

Gwrthdrawiad rhwng meddwl hynafol a'r byd cyfoes
(seicoleg esblygol).

Poen ar y diawl.

Mae iselder hefyd...

Yn llai na chi.

Mae bob amser yn llai na chi, hyd yn oed pan mae'n teimlo'n enfawr. Mae'n gweithredu tu mewn i chi, nid chi sy'n gweithredu oddi mewn iddo yntau. Efallai ei fod yn gwmwl tywyll yn symud ar draws yr awyr, ond – os dyna'r trosiad – chi yw'r awyr.

Roeddech chi yno o'i flaen. A dydy'r cwmwl ddim yn gallu bodoli heb yr awyr, ond mae'r awyr yn gallu bodoli heb y cwmwl.

Sgwrs ar draws amser – rhan tri

FI, DDOE: Mae'n ddychrynllyd.

FI, HEDDIW: Beth?

FI, DDOE: Bywyd. Fy meddwl. Pwysau'r cyfan.

FI, HEDDIW: Shhh. Paid. Rwyt ti'n teimlo'n gaeth ar hyn o bryd, dyna i gyd. Fe fydd pethau'n newid.

FI, DDOE: Fe fydd Andrea yn fy ngadael i.

FI, HEDDIW: Na fydd. Fydd hi ddim. Fe wneith hi dy briodi di.

FI, DDOE: Ha! Fyddai neb yn fodlon clymu'u hunain i ffrîc di-werth fel fi. Fydden nhw?

FI, HEDDIW: Wrth gwrs. Ac yli, rwyt ti'n gwneud cynnydd. Rwyt ti'n mynd i'r siop heb ddioddef pwl o banig nawr. Dwyt ti ddim yn teimlo'r pwysau ar dy ysgwyddau o hyd.

FI, DDOE: Ydw.

FI, HEDDIW: Nac wyt. Roedd 'na adeg yr wythnos diwethaf pan oeddwn i – pan oeddet *ti* – allan yn cerdded drwy'r parc yn yr heulwen ac yn teimlo'n ysgafn. Ennyd pan nad oeddet ti'n hel meddyliau.

FI, DDOE: Iawn, ydy, mae hynny'n wir. Fe gefais i un arall

bore heddiw. Roeddwn i'n gorwedd yn y gwely yn meddwl tybed oedd gennym ni rawnfwyd ar ôl. Dyna'r cyfan. Rhywbeth hollol normal, ac fe barodd am dros funud. Dim ond gorwedd yna, yn meddwl am frecwast.

FI, HEDDIW: *Ti'n gweld?* Felly rwyt ti'n gwybod na fydd pethau'r un peth am byth. Hyd yn oed *heddiw*, doedd pethau ddim 'run peth o hyd.

FI, DDOE: Ond mae'r cyfan mor ddwys.

FI, HEDDIW: Ac mae'n mynd i aros felly. Fe fyddi di'n berson eithaf dwys am byth. Ac fe fydd yr iselder yno bob amser, o bosib, yn aros am y gwymp nesaf. Ond mae cymaint o *fywyd* yn disgwyl amdanat ti. Yr un peth mae iselder wedi'i ddweud wrthyt ti yw bod diwrnod yn gallu bod yn gyfnod hir a dwys o amser.

FI, DDOE: Dduw mawr, ydy.

FI, HEDDIW: Wel, paid â phoeni am dreigl amser felly. Fe elli di brofi anfeidroldeb mewn diwrnod.

FI, DDOE: Fe allwn i gael fy nghau mewn cneuen ac ystyried fy hun yn frenin ar ofod anfeidrol.

FI, HEDDIW: Hamlet? Go dda rŵan. Dwi wedi anghofio'r holl linellau erbyn hyn. Mae dyddiau prifysgol amser maith yn ôl.

FI, DDOE: Dwi'n dechrau credu ynot ti.

FI, HEDDIW: Diolch.

FI, DDOE: Dy fod di'n bosib, hynny yw. Y posibilrwydd fy mod i'n bodoli fwy na degawd i'r dyfodol. A 'mod i'n teimlo'n llawer gwell.

FI, HEDDIW: Mae'n wir. Fe wyt ti. Ac mae gen ti dy deulu dy hun. Mae gen ti fywyd. Dydy o ddim yn berffaith. Does dim o'r fath beth. Ond dy fywyd di ydy o.

FI, DDOE: Dwi eisiau prawf.

FI, HEDDIW: Alla i ddim profi'r peth. Does gen i ddim peiriant amser.

FI, DDOE: Nac oes. Mae'n debyg y bydd rhaid i mi ddal i obeithio.

FI, HEDDIW: Bydd. Cadwa dy ffydd.

FI, DDOE: Fe wna i drio.

FI, HEDDIW: Rwyt ti wedi gwneud hynny eisoes.

4
Byw

'Ac felly y tyr y galon, ac eto, yn ddrylliedig, bydd fyw'
      —yr Arglwydd Byron, *Childe Harold's Pilgrimage*

Y byd

MAE'R BYD SYDD ohoni'n ein gwneud ni'n fwyfwy isel ein hysbryd. Dydy hapusrwydd ddim yn llesol iawn i'r economi. Pe baen ni'n hapus â'r hyn sydd gennym, pam fyddai angen i ni brynu mwy o bethau? Sut mae gwerthu lleithydd gwrth-heneiddio? Drwy wneud i rywun bryderu am heneiddio. Sut mae denu pobl i bleidleisio dros blaid wleidyddol benodol? Drwy wneud iddyn nhw boeni am fewnfudwyr. Sut mae eu denu nhw i brynu yswiriant? Drwy wneud iddyn nhw boeni am bopeth. Sut mae eu perswadio nhw i gael llawdriniaeth blastig? Drwy dynnu sylw at eu gwendidau corfforol. Sut mae eu denu nhw i wylio rhaglen deledu? Drwy wneud iddyn nhw boeni eu bod nhw'n colli rhywbeth. Sut mae eu denu nhw i brynu ffôn clyfar newydd? Drwy wneud iddyn nhw deimlo eu bod yn cael eu gadael ar ôl.

Mae bod yn dawel a digynnwrf yn troi'n rhyw fath o weithred chwyldroadol. Bod yn fodlon ar fodolaeth nad yw'n cael ei diweddaru'n gyson. Fyddai teimlo'n gyfforddus gyda'n natur ddynol, flêr ddim yn llesol i fusnes.

Ac eto, does dim byd arall i ni fyw ynddo. Ac os craffwn ni'n ofalus iawn, fe welwn ni nad bywyd yw'r byd llawn stwff a hysbysebion mewn gwirionedd. Y stwff arall yw bywyd. Bywyd yw'r hyn sydd ar ôl pan fyddwch chi'n cael gwared ar yr holl rwtsh, neu o leia'n ei anwybyddu am ychydig.

Bywyd yw'r bobl sy'n eich caru chi. Wnaiff neb ddewis aros yn fyw er mwyn iPhone. Y bobl rydyn ni'n cysylltu â nhw gyda'r iPhone sy'n bwysig.

Ac unwaith y dechreuwn ni wella, a dechrau byw eto, rydyn ni'n gwneud hynny drwy lygaid newydd. Mae pethau'n dod yn gliriach, a down yn ymwybodol o bethau nad oedden ni'n ymwybodol ohonyn nhw o'r blaen.

Cymylau madarch

WNES I ERIOED weld ergyd ddwbl gorbryder ac iselder yn dynesu cyn i mi gael fy llorio yn 24 oed. Ond fe ddylwn i fod wedi gwneud. Roedd yr holl arwyddion yno i'm rhybuddio. Yr adegau o anobaith yn fy arddegau. Y pryderu parhaus ynghylch pob dim. Yn benodol, dwi'n credu bod llawer o arwyddion pan oeddwn i'n fyfyriwr ym Mhrifysgol Hull. Y drafferth gydag arwyddion rhybudd, fodd bynnag, yw mai'r gorffennol yw'n hunig linyn mesur ni, nid y dyfodol, ac os nad yw rhywbeth wedi digwydd mae'n anodd gwybod y bydd yn digwydd maes o law.

Y fantais o fod *wedi* cael iselder yw eich bod chi'n gwybod am beth i edrych, ac roedd digon o bethau i'w gweld pan oeddwn i yn y brifysgol, ond wnes i ddim sylwi arnyn nhw.

Roeddwn i'n arfer syllu ar ddim byd yn benodol wrth eistedd ar bumed llawr llyfrgell y brifysgol, yn dychmygu – gyda rhyw arswyd llwm – fy mod i'n gweld cymylau madarch ar y gorwel. Roeddwn i'n teimlo fymryn yn od weithiau. Yr ymylon yn aneglur, fel llun dyfrlliw ar ddwy goes. Ac wrth edrych yn ôl, roedd arna i angen yfed llawer iawn o alcohol.

Fe gefais i un pwl o banig hefyd, er nad ar yr un raddfa â'r rhai diweddarach. Dyma beth ddigwyddodd.

Fel rhan o fy ngradd gyfun Saesneg a Hanes, dewisais un modiwl ar Hanes Celf. Er nad oeddwn i'n sylweddoli hynny ar y pryd, roedd hynny'n golygu y byddai'n rhaid i mi, rywbryd yn ystod y tymor, wneud cyflwyniad ar fudiad celf cyfoes (Ciwbiaeth oedd fy newis i).

Dydy hynny'n swnio'n fawr o beth, ond roeddwn i'n arswydo rhagddo gymaint ag y gallech chi arswydo rhag unrhyw beth dan haul. Roedd perfformio a siarad yn gyhoeddus wedi fy nychryn erioed. Ond roedd hwn gam yn waeth. Allwn i ddim dygymod o gwbl â'r syniad o orfod sefyll o flaen ystafell seminar yn llawn dop o bobl... wwww... tua deuddeg neu dri ar ddeg o bobl efallai, a'u hannerch am tua ugain munud. Pobl a fyddai'n meddwl amdana i ac yn canolbwyntio arna i ac yn gwrando ar y geiriau'n dod allan o 'ngheg.

'Mae pawb yn mynd yn nerfus,' meddai fy mam wrthyf ar y ffôn. 'Dydy o'n ddim byd. Ac agosa'n y byd mae'n dod, cynta'n y byd y bydd y cyfan drosodd.'

Ond beth wyddai hi?

Beth pe bai fy nhrwyn yn dechrau gwaedu? Beth os na allwn i yngan gair? Beth pe bawn i'n gwlychu fy hun? Roedd amheuon eraill hefyd. Sut mae ynganu Picabia? Ddylwn i ddefnyddio acen Ffrengig wrth ynganu enw darlun Georges Braque, *Nature morte*?

Am ryw bum wythnos, allwn i ddim mwynhau dim byd oherwydd bod hwn ar y gorwel, ac allwn i ddim peidio â mynd oherwydd roedd yn cael ei asesu fel rhan o'm gwaith cwrs. Yr hyn oedd yn peri pryder go iawn i mi oedd gorfod cyfuno darllen y geiriau â dangos cyfres o sleidiau. Beth pe bawn i'n rhoi'r sleidiau i mewn ben i lawr? Beth pe bawn i'n trafod *Portread o Picasso* gan Juan Gris gan ddangos darlun gan Picasso ei hun? Doedd dim diwedd i'r posibiliadau hunllefus.

Yn addas iawn, o ystyried 'mod i'n trafod mudiad celfyddydol a oedd yn ymwneud â hepgor persbectif, roeddwn innau'n colli persbectif hefyd.

Daeth y diwrnod. Dydd Mawrth, 17 Mawrth 1997. Diwrnod digon tebyg yn ôl pob golwg i gymaint o ddyddiau llwydaidd eraill yn Hull. Ond nage. Doedd pethau ddim fel roedden nhw'n ymddangos. Roedd hwn yn ddiwrnod llawn bygythiad. Edrychai popeth – hyd yn oed y dodrefn yn ein tŷ myfyrwyr – fel arfau cudd mewn rhyfel anweledig yn fy erbyn i. Doedd darllen *Dracula* ar gyfer fy modiwl Llenyddiaeth Gothig ddim yn helpu chwaith. ('Rwyf mewn môr o ryfeddodau. Rwy'n amau; rwy'n ofni; rwy'n meddwl pethau rhyfedd, na feiddiaf eu cyffesu i'm henaid fy hun.')

'Fe elli di wastad esgus bod yn sâl,' meddai fy nghariad newydd a'm darpar wraig, Andrea.

'Na allaf. Mae'n cael ei asesu. Mae'n cael ei *asesu!*'

'Iesu, Matt, callia. Rwyt ti wedi troi hwn yn rhywbeth nad ydy o.'

Wedyn dyma fi'n mynd i'r fferyllfa a phrynu pecyn o Natracalm a llyncu cymaint o'r 24 tabled ag y gallwn. (Tua 16, dwi'n meddwl. Dwy o'r tair haenen o dabledi. Roedd blas glaswellt a sialc arnyn nhw.) Arhosais am y tawelwch meddwl roedden nhw'n ei addo.

Ond nid dyna ddigwyddodd. Yr hyn ddigwyddodd oedd cosi. Ac yn sgil y cosi, brech.

Roedd y frech ar hyd fy ngwddf a'm dwylo. Cochni llachar cas. Heblaw am y cosi dychrynllyd, teimlai fy nghroen yn boeth. Doedd y seminar ddim tan chwarter wedi dau. Efallai mai straen oedd wedi achosi'r frech. Efallai fod arna i angen rhywbeth arall i'm tawelu. Dyma fi'n mynd i far yr undeb ac yfed peint o lager a dau fodca a leim. Smociais sigarét. Ddeg munud cyn y cyflwyniad, roeddwn i yn nhai bach yr Adran Hanes, yn syllu ar swastica roedd rhyw ffŵl wedi'i chrafu â beiro ar bren golau'r drws.

Roedd fy ngwddf yn gwaethygu. Arhosais yn y tŷ bach. Yn briffio fy hun yn dawel yn y drych.

Teimlais rym amser. Ei rym fel rhywbeth disyfyd.

'Stopia,' sibrydais. Ond dydy amser ddim yn stopio. Ddim hyd yn oed os gofynnwch chi iddo'n garedig.

Wedyn dyma fi'n ei wneud o. Fe wnes i'r cyflwyniad. Baglais dros fy ngeiriau; yn fy mhen roeddwn i'n swnio mor fregus â deilen grin; cawliais y sleidiau unwaith neu ddwy, a wnes i ddim yngan gair nad oedd ar y papur o'm blaen, yn fy llawysgrifen orau. Wnaeth pobl ddim chwerthin ar fy mrech. Dim ond edrych yn hynod, hynod anghyfforddus.

Ond hanner ffordd drwodd fe wnes i dorri'n rhydd oddi wrthyf fy hun. Fe wnes i *ddadwireddu*. Torrwyd y cortyn sy'n eich cysylltu â'r teimlad hwnnw o hunaniaeth, o fod yn chi'ch hun, a hedfanodd ymaith fel balŵn heliwm. Mae'n debyg mai dyma yw'r profiad 'allgorfforol' nodweddiadol. Roeddwn i yno, nid yn union uwchben fy hun, ond uwchben ac wrth ymyl ac ym mhobman ar yr un pryd, yn gwylio a chlywed fy hun mewn cyflwr o hunanymwybyddiaeth mor fyw fel fy mod i wedi ffrwydro allan o'm corff yn llwyr.

Mae'n debyg mai pwl o banig oedd hyn. Fy mhwl go iawn cyntaf o banig, er nad oedd ddim byd tebyg i'r rhai fyddwn i'n eu dioddef maes o law yn Ibiza, neu'n ddiweddarach wrth fyw gartref gyda fy rhieni. Fe ddylai fod wedi bod yn rhybudd, ond doedd o ddim, oherwydd roeddwn i wedi dioddef panig *am reswm*. Doedd o ddim yn bwl gwael, dwi'n cyfaddef, ond yn fy mhen roedd yn un gwael iawn. Ac os ydych chi'n dioddef pwl o banig am reswm – llew ar eich sodlau, drws y lifft yn gwrthod agor, methu ynganu 'chiaroscuro' – nid pwl o banig mohono mewn gwirionedd. Yn hytrach, mae'n ymateb rhesymegol i sefyllfa frawychus.

Mynd i banig heb reswm, dyna sy'n wallgof. Mynd i banig am reswm, mae hynny'n gall. Roeddwn i'n dal i fod yr ochr iawn i'r llinell.

Ond cael a chael oedd hi.

Ond mae bob amser yn anodd i ni weld y dyfodol o ganol y presennol, hyd yn oed pan mae o yno'n syth o'n blaen ni.

Gorbryder

GORBRYDER YW CYMAR iselder. Mae'n cadw cwmni i hanner yr achosion o iselder. Weithiau, mae'n sbarduno iselder. Weithiau, mae iselder yn sbarduno gorbryder. Weithiau, maen nhw'n cydfodoli, fel priodas hunllefus – er ei bod hi'n gwbl bosib dioddef gorbryder heb iselder, wrth gwrs, ac fel arall.

Mae gorbryder ac iselder yn gyfuniad diddorol. Mewn sawl ffordd maen nhw'n brofiadau cwbl groes i'w gilydd, ac eto dydy cyfuno'r ddau ddim yn arwain at ryw fan canol amgenach. I'r gwrthwyneb, yn wir. Mae gorbryder, sy'n aml yn berwi drosodd i greu panig, yn hunllef ar wib. Gall gorbryder, yn fwy nag iselder hyd yn oed, gael ei waethygu gan ein ffordd o fyw yn yr unfed ganrif ar hugain. Gan y pethau sydd o'n hamgylch ni.

Ffonau clyfar. Hysbysebion (dwi'n cael fy atgoffa o linell wych gan David Foster Wallace – 'Fe gyflawnodd nod pob hysbyseb: creu gorbryder y gellir ei leddfu drwy brynu'). Dilynwyr Twitter. Hoffi diddiwedd ar Facebook. Instagram. Gormodedd o wybodaeth. E-byst heb eu hateb. Apiau detio. Rhyfel. Esblygiad cyflym technoleg. Cynllunio trefol. Y newid yn yr hinsawdd. Trafnidiaeth gyhoeddus orlawn. Erthyglau'n sôn am yr 'oes ôl-wrthfeiotigau'. Modelau clawr a berffeithiwyd gan Photoshop. Hypocondria wedi'i borthi gan Google. Dewis di-ben-draw ('pendro rhyddid yw gorbryder' – Søren Kierkegaard). Siopa ar-lein. Y ddadl dros ac yn erbyn bwyta menyn. Bywyd wedi'i atomeiddio. Yr holl ddramâu teledu Americanaidd hynny y dylen ni fod wedi'u gwylio. Yr holl lyfrau arobryn hynny y dylen ni fod wedi'u darllen. Yr holl sêr pop nad ydyn ni wedi clywed amdanyn nhw. Yr holl *ddiffyg* rydyn ni'n cael ein gorfodi i'w deimlo. Boddhad rŵan hyn. Tynnu sylw cyson. Gwaith gwaith gwaith. Popeth ar waith 24 awr y dydd.

Efallai fod bod â bys ar byls y byd modern o ddifri yn golygu bod gorbryder yn anorfod. Ond yma eto, mae'n rhaid gwahaniaethu rhwng gorbryder a 'Gorbryder'. Er enghraifft, dwi'n berson gorbryderus erioed. Yn blentyn, roeddwn i'n poeni'n arw am farwolaeth. Dipyn mwy, yn sicr, nag y dylai plentyn bryderu. Roeddwn i hefyd, yn ddeg mlwydd oed, yn arfer dringo i mewn i wely fy rhieni a dweud bod gen i ormod o ofn mynd i gysgu rhag i mi ddeffro yn methu gweld na chlywed. Roeddwn i'n arfer poeni am gyfarfod pobl newydd, yn cael poen bol bob nos Sul o boeni am fore Llun, ac fe wnes i grio unwaith – a minnau'n 14 oed – am nad oedd cerddoriaeth cystal ag oedd hi pan oeddwn i'n fach. Mae'n deg dweud fy mod i'n blentyn sensitif.

Ond mae Gorbryder go iawn – anhwylder gorbryder cyffredinol a'r anhwylder panig cysylltiedig y cefais ddiagnosis ar ei gyfer hefyd – yn gallu bod yn beth enbydus (er nad yw hynny'n wir bob tro). Gall fod yn bryder graddfa deg llawn-amser.

Wedi dweud hynny, o brofiad personol, mae'n bendant yn bosib trin gorbryder – hyd yn oed yn fwy nag iselder.

Arafu

Os YDYCH CHI'N dioddef o orbryder ar ei ben ei hun, neu'r iselder carlamus sy'n dod pan mae'n gysylltiedig â gorbryder, mae yna bethau y gallwch chi eu gwneud. Mae rhai pobl yn cymryd tabledi. I rai, maen nhw'n llythrennol yn achub eu bywydau. Ond fel y gwelson ni eisoes, mae dod o hyd i'r tabledi cywir yn wyddor ddyrys oherwydd y gwir amdani yw nad yw gwyddoniaeth yr ymennydd eto *wedi datblygu'n llawn*.

Dydy'r offer a ddefnyddir i ddadansoddi prosesau'r ymennydd dynol byw – sganiau CAT (*computed axial tomography*) ac, yn ddiweddarach, sganiau MRI (*magnetic resonance imaging*) – ddim yn bod ers fawr mwy nag ychydig ddegawdau. Wrth gwrs, maen nhw'n dda iawn am greu lluniau amryliw prydferth o'r ymennydd, a dangos i ni pa rannau o'r ymennydd sydd fwyaf gweithredol. Maen nhw'n gallu nodi pa ran o'r ymennydd sy'n gyfrifol am y teimlad pleserus a gawn wrth fwyta siocled, neu am y gofid a deimlwn pan fydd babi'n crio. Stwff clyfar. Ond mae ganddyn nhw'u gwendidau.

'Mae'r rhan fwyaf o rannau'r ymennydd yn gwneud

pethau gwahanol ar adegau gwahanol,' meddai Dr David Adam, awdur *The Man Who Couldn't Stop*. 'Mae'r amygdala, er enghraifft, yn chwarae rhan mewn cyffro rhywiol ac arswyd – ond nid yw sgan MRI yn gallu gwahaniaethu rhwng angerdd a phanig... Felly beth ddylen ni ei feddwl pan mae'r amygdala'n ymddangos yn llachar ar sgan MRI pan fyddwn ni'n gweld lluniau o Cameron Diaz neu Brad Pitt – ein bod ni'n eu hofni?'

Dydy'r offer ddim yn berffaith, felly. A dydy niwrowyddoniaeth ddim yn berffaith chwaith.

Mae rhai pethau'n wybyddus, ond mae mwy o bethau sy'n dal yn ddirgelwch. Efallai fod y diffyg dealltwriaeth hwn yn egluro pam mae yna stigma o hyd ynghylch iechyd meddwl. Os oes dirgelwch, fe fydd ofn hefyd.

Yn y pen draw, does dim ffordd sicr o gael iachâd. Oes, mae tabledi, ond dim ond celwyddgi fyddai'n dweud eu bod yn gweithio bob tro neu eu bod yn ateb delfrydol bob amser. Anaml iawn hefyd maen nhw'n gwella rhywun heb gymorth ychwanegol. Ond o safbwynt gorbryder, o leiaf, mae'n ymddangos fod un peth sy'n gweithio drwyddi draw, mwy neu lai.

Hynny yw: *arafu*. Mae gorbryder yn peri i'ch meddwl wibio ymlaen yn hytrach na chwarae ar y cyflymder arferol. Felly dydy mynd i'r afael â 'chyflymder' y meddwl ddim o reidrwydd yn hawdd, ond mae'n gweithio. Mae gorbryder yn cael gwared ar bob coma ac atalnod llawn rydyn ni eu hangen i wneud synnwyr ohonon ni'n hunain.

Dyma ambell ffordd o adfer yr atalnodi meddyliol yma.

Ioga. Roeddwn i'n arfer casáu ioga, ond rydw i wedi newid fy meddwl yn llwyr. Mae'n wych oherwydd, yn wahanol i therapïau eraill, mae'n trin y corff a'r meddwl fel un.

Anadlwch yn arafach. Nid anadlu dwfn gwirion. Anadlu ysgafn. I mewn am bump, ac allan am bump. Mae'n anodd ei gynnal, ond mae hefyd yn anodd iawn i banig ddigwydd os yw eich anadlu'n hamddenol. Mae cymaint o symptomau gorbryder – pendro, pinnau bach, y croen yn ysu – yn uniongyrchol gysylltiedig ag anadlu bas.

Myfyriwch. Does dim rhaid llafarganu. Eisteddwch am bum munud a cheisio meddwl am un peth i'ch lleddfu. Cwch wedi'i angori ar fôr disglair. Wyneb rhywun rydych chi'n ei garu. Neu canolbwyntiwch ar eich anadlu a dim arall.

Derbyniwch. Peidiwch ag ymladd pethau, teimlwch nhw. Mae tensiwn yn ymwneud â gwrthwynebu, mae ymlacio'n ymwneud â gadael fynd.

Ewch ati i fyw yn yr eiliad. Dyma eiriau'r meistr hwnnw ar fyfyrio, Amit Ray: 'Os ydych chi eisiau goresgyn gorbryder bywyd, ewch ati i fyw yn yr eiliad. I fyw yn yr anadl.'

Carwch. Disgrifiodd Anaïs Nin orbryder fel 'lladdwr mwyaf cariad'. Ond yn ffodus, mae'r gwrthwyneb hefyd yn wir. Cariad yw lladdwr mwyaf gorbryder. Mae cariad yn rym sy'n symud am allan. Dyna ein llwybr rhag ein dychryniadau, oherwydd mae gorbryder yn salwch sy'n ein caethiwo ni yn ein hunllefau ein hunain. Nid hunanoldeb yw hynny, er bod pobl yn ystyried bod hynny'n wir. Os yw eich coes ar dân, nid bod yn hunanol yw canolbwyntio ar y boen, neu ar ofni'r fflamau. Felly hefyd gyda gorbryder. Dydy pobl â salwch meddwl ddim yn ymgolli ynddyn nhw'u hunain oherwydd eu bod nhw'n gynhenid fwy hunanol na phobl eraill. Wrth gwrs nad ydyn nhw. Maen nhw'n teimlo pethau na ellir eu hanwybyddu, dyna i gyd. Pethau sy'n cyfeirio'r saethau i mewn tuag at yr hunan. Ond mae cael pobl sy'n eich caru chi a phobl rydych chi'n eu caru yn help garw. Does dim rhaid iddo fod yn gariad rhamantus, nac yn gariad teuluol hyd yn oed. Mae gorfodi'ch hun i edrych ar y byd drwy lygaid cariad yn gallu bod yn beth iach. Agwedd at fywyd yw cariad. Mae'n gallu'n hachub ni.

Uchelfannau ac iselfannau

FEL Y DYWEDAIS, bob tro y byddwn yn mynd i banig roeddwn i'n deisyfu perygl go iawn. Os ydych chi'n dioddef pwl o banig am reswm, nid pwl o banig mohono mewn gwirionedd; yn hytrach, mae'n ymateb rhesymegol i sefyllfa arswydus. Yn yr un modd, bob tro y teimlwn y newid gêr i lawr tuag at y tristwch enbyd a di-ben-draw hwnnw, roeddwn yn deisyfu iddo gael ei achosi gan rywbeth allanol.

Ond wrth i amser fynd heibio, roeddwn i'n gwybod rhywbeth nad oeddwn i'n ei wybod ynghynt. Sef nad i lawr oedd yr unig gyfeiriad. Os oeddech chi'n dal eich gafael ac yn dyfalbarhau, yna roedd pethau'n gwella. Maen nhw'n gwella, yna'n gwaethygu, ac yna'n gwella eto.

Uchelfannau ac iselfannau, *pegynau a phantiau*, fel y dywedodd homeopath wrthyf unwaith pan oeddwn i'n byw yn nhŷ fy rhieni (gweithiodd geiriau'r homeopath gryn dipyn yn well na'i thrwythi).

Cromfachau

(MAE ISELDER YN beth od. Hyd yn oed nawr, gyda phellter o 14 blynedd rhyngof a fy mhwynt isaf un, dydw i ddim wedi dianc yn llwyr. Rydych chi'n dod drosto, ond ar yr un pryd dydych chi byth yn dod drosto. Mae'n dod yn ôl ar ffurf fflachiadau, pan fyddwch chi wedi blino neu'n orbryderus neu wedi bod yn bwyta'r pethau anghywir, ac mae'n eich dal chi'n ddiarwybod. Roedd o yno pan ddeffroais i'r diwrnod o'r blaen, fel mae'n digwydd. Gallwn deimlo'i chwa dywyll o amgylch fy mhen, y teimlad bygythiol ofn-yw-bywyd hwnnw. Ond yna, ar ôl bore gyda'r plantos pump a chwech oed gorau yn y byd, fe giliodd. Rhywbeth i'w gadw o'r neilltu ydy o bellach. Rhywbeth i'w gau rhwng cromfachau. Gwers ar gyfer bywyd: ddewch chi byth o hyd i'r ffordd allan trwoch chi'ch hun.)

Partïon

Am ddeng mlynedd o fy mywyd, allwn i ddim mynd i barti heb deimlo arswyd eithafol. Ie, fi, y dyn a fu'n gweithio yn Ibiza ar gyfer y parti wythnosol mwyaf a gwylltaf yn Ewrop, yn methu camu i mewn i ystafell yn llawn pobl hapus yn dal gwydrau gwin heb ddioddef pwl o banig.

Yn fuan ar ôl i mi ddod yn awdur cyhoeddedig, a minnau'n pryderu y byddai'r cyhoeddwr yn troi ei gefn arna i, teimlais reidrwydd i fynychu parti Nadolig llenyddol. Gan fod alcohol yn fy arswydo o hyd roeddwn i'n sobor, a cherddais i mewn i ystafell a theimlo allan o'm dyfnder yn syth bin. Roedd pobl enwog glyfar (Zadie Smith, David Baddiel, Graham Swift), a'u hwynebau enwog clyfar, fel petaen nhw ym mhobman, ac roedden nhw yn eu helfen.

Wrth gwrs, dydy cerdded i mewn i ystafell sy'n llawn pobl byth yn hawdd. Mae'r hen ennyd letchwith honno'n codi bob tro, wrth i chi hofran yno fel moleciwl dwys ac unig, a phawb arall yn eu cylchoedd bach clòs, llawn chwerthin a sgwrsio.

Sefais yng nghanol yr ystafell, yn chwilio am rywun roeddwn i'n ei adnabod am ryw reswm heblaw'r ffaith ei fod yn enwog, ond allwn i ddim gweld neb. Gafaelais yn fy ngwydraid o ddŵr pefriog (roedd gen i ormod o ofn caffein a siwgr i yfed dim byd arall) a cheisio perswadio fy hun mai fy athrylith oedd wrth wraidd fy lletchwithdod. Wedi'r cwbl, roedd Keats a Beethoven a Charlotte Brontë yn casáu partïon. Ond yna fe wnes i sylweddoli bod miliynau o bobl o'r gorffennol, a neb ohonyn nhw'n athrylith, oedd wedi casáu partïon hefyd.

Am eiliad neu ddwy, fe wnes i ddal llygad Zadie Smith, ar ddamwain fel petai. Fe drodd ei phen i ffwrdd. Roedd hi'n amlwg yn meddwl 'mod i'n greadur od. *Mae Brenhines Llenyddiaeth yn meddwl 'mod i'n greadur od!*

Dim ond milltir neu ddwy i ffwrdd, 191 o flynyddoedd ynghynt, roedd Keats wedi eistedd a dechrau ysgrifennu llythyr at ei gyfaill, Richard Woodhouse.

'Pan ydw i mewn ystafell gyda Phobl,' ysgrifennodd, 'os ydw i byth yn rhydd rhag hel meddyliau ynghylch creadigaethau fy ymennydd fy hun, yna nid fi fy hun sy'n dychwelyd adref ataf i fy hun: eithr mae hunaniaeth pawb yn yr ystafell yn dechrau gwasgu arnaf fel fy mod mewn dim o dro wedi fy ninistrio'n llwyr.'

Wrth i mi sefyll yno, a'r swigod o garbon deuocsid yn codi yn fy ngwydr, teimlwn ryw fath o ddinistr. Doeddwn i ddim yn hollol siŵr fy mod i yno o gwbl, a theimlwn fel pe bawn i'n arnofio. Dyma ni. Pwl arall. Roedd wythnosau, misoedd efallai, o iselder o'm blaen i.

Anadla, meddwn wrthyf fy hun. *Anadla, dyna i gyd.*

Roeddwn i angen Andrea. Roedd yr aer yn teneuo.

Roeddwn i yn ei chanol hi, wedi pasio'r pwynt eithaf. Doedd dim amdani. Roeddwn i ar goll mewn twll du o'm gwneuthuriad i fy hun.

Rhoddais fy ngwydr ar fwrdd a cherdded allan. Gadewais gôt yn yr ystafell gotiau ac mae'n bosib ei bod hi'n dal yno, hyd y gwn i. Camais allan i nos Llundain a rhedeg y pellter byr yn ôl i'r caffi, lle roedd Andrea, fy ngwaredwr bythol, yn aros amdana i.

'Be sy'n bod?' gofynnodd. 'Roeddwn i'n meddwl dy fod di'n mynd i fod yna am awr?'

'Allwn i ddim. Roedd yn rhaid i mi ddod o 'na.'

'Wel, rwyt ti allan. Sut wyt ti'n teimlo?'

Meddyliais am hynny. Sut roeddwn i'n teimlo? Fel ffŵl, yn amlwg. Ond roedd y pwl o banig wedi diflannu hefyd. Yn yr hen ddyddiau, doedd pyliau o banig ddim yn diflannu fel hynny. Roedden nhw'n trawsnewid yn byliau eraill o banig, gan fy nhanseilio, fel byddin, nes y gallai iselder ddod i mewn a meddiannu fy mhen. Ond na. Roeddwn i'n teimlo'n hollol normal eto. Person normal gydag alergedd i bartïon. Roeddwn i wedi bod eisiau marw yn y parti, ond nid yn llythrennol. Y cyfan roeddwn i wir ei eisiau oedd cael dianc o'r ystafell. Ond o leiaf roeddwn i wedi cerdded i mewn i'r ystafell yn y lle cyntaf. Roedd hynny ynddo'i hun yn welliant. Flwyddyn yn ddiweddarach byddwn i wedi gwella digon nid yn unig i fynd i'r parti, ond i deithio yno ar fy mhen fy hun. Weithiau, ar y llwybr caregog, tymhestlog tuag at iachâd, gall yr hyn sy'n teimlo fel methiant fod yn gam ymlaen.

#rhesymaudrosarosynfyw

GOFYNNAIS AR-LEIN I rai pobl sydd â phrofiad o iselder, gorbryder neu feddyliau hunanddinistriol, 'Beth sy'n eich cadw chi i fynd?' Dyma oedd eu rhesymau nhw dros aros yn fyw.

@Matineegirl
Ffrindiau, teulu, cael fy nerbyn, rhannu, gwybod y bydd y ci du yn gadael yn y pen draw. #rhesymaudrosarosynfyw

@mannyliz
Yn syml iawn, fy mhlant. Wnaethon nhw ddim gofyn am gael eu geni i fam sydd weithiau'n cael trafferth peidio â'i cholli hi'n llwyr.

@groznez
#rhesymaudrosarosynfyw Ioga. Allwn i ddim byw hebddo.

@Ginny_Bradwell
#rhesymaudrosarosynfyw Sylweddoli ei bod yn iawn bod
yn sâl ac nad oedd atebion parod ar gael.

@AlRedboots
Mae'r bwlch fyddech chi'n ei adael ar eich ôl yn
fwy na'r boen rydych chi'n ei dioddef wrth fodoli.
#rhesymaudrosarosynfyw

@LeeJamesHarrison
I sbeitio'ch hun am y dyddiau a'r eiliadau di-sbeit ysbeidiol
hynny sydd gymaint melysach o ganlyniad.

@H3llInHighH33ls
Mae ambell ennyd, ambell ddiwrnod pan mae'r
niwl yn codi. Mae'r adegau hynny'n ogoneddus.
#rhesymaudrosarosynfyw

@simone_mc
Fy #rhesymaudrosarosynfyw? Y dyfodol. Y wlad sydd heb
ei darganfod. Cyfle i ganfod a chyfarfod pobl eraill sy'n
gwerthfawrogi cyfeiriadau gwirion at Star Trek.

@Erastes
#rhesymaudrosarosynfyw Mae'r dyddiau'n dechrau
ymestyn ar ôl 21 Rhagfyr. Rhywbeth i ddal gafael ynddo
yn ystod yr adegau tywyll.

@PixleTVPi
Fy unig reswm dros aros yn fyw yw fy ffrind gorau.
#rhesymaudrosarosynfyw

@paperbookmarks
Oherwydd, er fy mod i mewn poen gyson, mae gen i'r bobl
fwyaf cefnogol o'm cwmpas a'r llyfrau gorau i'w darllen.
#rhesymaudrosarosynfyw

@ameliasnelling
#rhesymaudrosarosynfyw Dydw i'n dal ddim wedi gweld
Gwlad yr Iâ, lle bydd fy llwch yn cael ei wasgaru.

@debecca
#rhesymaudrosarosynfyw Er mwyn sbeitio canser,
anhwylder deubegynol a'r holl bethau eraill sy'n ceisio fy
lladd i a minnau'n ifanc.

@vivatrampv
Fe wnaeth y llawfeddygon weithio mor galed
er mwyn i mi gael y dyfodol dwi'n ei haeddu.
#rhesymaudrosarosynfyw

@lillianharpl
#rhesymaudrosarosynfyw Oherwydd mae'r opsiwn arall
mor anhyblyg.

@NickiDavies
Dwi'n od, yn rhywun optimistig ag iselder! Hyd yn oed
pan mae'n wirioneddol wael, dwi'n dal i gredu y gall fod
yn well. #rhesymaudrosarosynfyw

@Leilah_Makes
Mae cadw at fy arferion yn rhoi cysur i mi. Mae'n
caniatáu i mi gadw rhyw ychydig o reolaeth
#rhesymaudrosarosynfyw

@Doc_Megz_to_be
Y dyfodol ansicr. Efallai ei fod yn achosi gorbryder, ond
mae hefyd yn debyg i lyfr sy'n hynod anodd ei ragweld.
#rhesymaudrosarosynfyw

@ilonacatherine
Dydy pawb arall ddim yn meddwl eich bod chi'n gymaint
o wastraff lle ag rydych chi eich hun yn ei gredu pan
fyddwch chi yng nghrafangau'r iselder. Cofiwch ymddiried
mewn pobl eraill. #rhesymaudrosarosynfyw

@stueygod
Cerddoriaeth. #rhesymaudrosarosynfyw

@ameliasward
Boreau heulog. #rhesymaudrosarosynfyw

@DolinaMunro
Rholiau bacwn. #rhesymaudrosarosynfyw

@mirandafay
Awyr iach. Cariad diamod ci da.
#rhesymaudrosarosynfyw

@jeebreslin
Oherwydd y tu mewn mae yna chi arall, euraidd sy'n eich
caru chi ac sydd eisiau i chi ennill a gorchfygu a bod yn
hapus. #rhesymaudrosarosynfyw

@ylovesgok
Sylweddoli fy mod i'n gallu cael help.
#rhesymaudrosarosynfyw

@wilsonxox
Machludau. A'r ffurf gerddorol amhenodol honno sy'n
gallu cyrraedd eich asgwrn cefn.
#rhesymaudrosarosynfyw

@MagsTheObscure
Y brawd dwi'n gofalu amdano. Dyma un o'r prif resymau
pam fy mod i'n dal yn ofalwr. Fo yw fy ngoleudy yng
nghanol y storm. #rhesymaudrosarosynfyw

@jaras76
Posibiliadau. Goresgyn yr her nesaf. Pêl-droed.
#rhesymaudrosarosynfyw

@HHDreamWolf
Gallai hunanladdiad beri iselder i fy nheulu a'm
ffrindiau, a fyddwn i ddim am i neb ddioddef iselder.
#rhesymaudrosarosynfyw

@DebWonda
Mae popeth yn pasio – daw llawenydd wedi poen, mae
gwres yn toddi'r rhew. #rhesymaudrosarosynfyw

@legallyogi
Y tro diwethaf i mi ddioddef iselder oedd pan gefais i
iselder ôl-enedigol difrifol. Roedd yn gyfnod ofnadwy. Fy
#rhesymaudrosarosynfyw oedd fy nheulu a gwybod y
byddai'n pasio.

@ayaanidilsays
#rhesymaudrosarosynfyw Ffrindiau gorau, ddywedwn i.
Yr Efallai Mawr.

@lordof1
Mae'n rhaid mynd â'r cŵn am dro bob bore.
#rhesymaudrosarosynfyw

@UTBookblog
Bod â'r profiad i wybod y bydd yfory'n ddiwrnod gwell. Fy
nheulu, fy nghariad, fy ffrindiau… a fy mhentwr llyfrau
i'w darllen! #rhesymaudrosarosynfyw

@GoodWithoutGods
#rhesymaudrosarosynfyw Oherwydd na fydd 7 x 10^49 o
atomau byth yn digwydd yn yr un drefn eto. Mae'n fraint
unigryw.

@Book_Geek_Says
Cefnogaeth fy mam, a nawr fy nghariad, a ddaeth i fy
mywyd ar un o fy nghyfnodau isaf dair blynedd yn ôl.
#rhesymaudrosarosynfyw

@Teens22
#rhesymaudrosarosynfyw Cariad yw'r rheswm gorau
dros aros yn fyw. Caru'ch hunan, caru eraill, caru bywyd a
sylwi ar y pethau da. #rhesymaudrosarosynfyw

@ZODIDOG
#rhesymaudrosarosynfyw Weithiau mae mor syml ag
awyr las a heulwen. Neu dlysni ac ymateb fy tsintsila
anwes.

@Halftongue
Weithiau, dydy fy #rhesymaudrosarosynfyw yn ddim byd
mwy na 'fe fyddai pobl yn drist ac yn flin pe na bawn i'.
Dyna'r dyddiau gwaethaf.

@tara818
#rhesymaudrosarosynfyw Roedd yn rhaid i mi fwydo fy mabi. Roedd gen i orbryder ac iselder ôl-enedigol affwysol, a dim ond oherwydd bod angen gofalu amdano rydw i'n dal yma.

@BeverlyBambury
Dydw i ddim wastad yn gwybod pam wnes i ddal ati i symud, ond wnaeth rhoi'r gorau i symud byth deimlo fel opsiwn am gyfnod hir iawn. Rhyw styfnigrwydd cyndyn? #rhesymaudrosarosynfyw

@wolri
#rhesymaudrosarosynfyw Pethau syml – cefnogaeth fy ngŵr, yn peidio â rhoi pwysau arna i a minnau ar fy ngwaethaf; fy nheulu a 'nghi bach yn bennaf.

@Lyssa_1234
Ddim eisiau rhoi loes i fy rhieni/brawd neu chwaer/partner. Waeth pa mor isel dwi'n mynd, dwi'n gwybod y byddai'r bobl hyn yn gweld fy ngholli. #rhesymaudrosarosynfyw

@BlondeBookGirl
Mae fy #rhesymaudrosarosynfyw yn cynnwys meddwl am wyneb bach fy nghath pe na bawn i yma, fy mam/chwaer a'r holl lyfrau rydw i'n daer am eu darllen.

@gourenina

Gwybod nad yw fy iselder erioed wedi para am
byth, a bod ffordd allan ohono wedi bod bob tro.
#rhesymaudrosarosynfyw

@Despard

Daeth haul ar fryn o'r blaen a daw haul ar fryn eto.
#rhesymaudrosarosynfyw

Pethau sy'n fy ngwneud i'n waeth

Coffi.

Diffyg cwsg.

Y tywyllwch.

Yr oerfel.

Mis Medi.

Mis Hydref.

Canol y prynhawn.

Cyhyrau tyn.

Cyflymder bywyd cyfoes.

Osgo gwael.

Bod ar wahân i'r bobl dwi'n eu caru.

Eistedd yn rhy hir.

Hysbysebion.

Teimlo 'mod i'n cael fy anwybyddu.

Deffro am dri o'r gloch y bore.

Teledu.

Bananas (dydw i ddim yn siŵr am hwn – mae'n debyg mai cyd-ddigwyddiad ydy o).

Alcohol.

Facebook (weithiau).

Twitter (weithiau).

Terfynau amser.

Golygu.

Penderfyniadau anodd (pa sanau i'w gwisgo ac ati).

Salwch corfforol.

Meddwl fy mod i'n teimlo'n isel (y cylch mwyaf cythreulig ohonyn nhw i gyd).

Peidio ag yfed digon o ddŵr.

Edrych ar fy sgôr ar Amazon.

Edrych ar sgôr awduron eraill ar Amazon.

Cerdded i mewn i ddigwyddiad cymdeithasol ar fy mhen fy hun.

Teithio ar drên.

Ystafelloedd gwesty.

Bod ar fy mhen fy hun.

Pethau sy'n fy ngwella (weithiau)

Ymwybyddiaeth ofalgar.

Rhedeg.

Ioga.

Yr haf.

Cwsg.

Anadlu'n araf.

Bod yng nghwmni'r bobl dwi'n eu caru.

Darllen cerddi Emily Dickinson.

Darllen ychydig o *The Power and the Glory* gan Graham Greene.

Ysgrifennu.

Bwyta'n dda.

Cawod neu fàth hir.

Ffilmiau o'r wythdegau.

Gwrando ar gerddoriaeth.

Facebook (weithiau).

Twitter (weithiau).

Mynd am dro hir.

'Gweithredoedd mawrfrydig a baddonau poeth' (Dodie Smith).

Gwneud *burritos*.

Awyr olau a waliau golau.

Darllen llythyrau Keats. ('Oni welwch chi pa mor angenrheidiol yw byd o boen a thrafferthion er mwyn addysgu deallusrwydd a'i droi'n enaid?')

Banc y dyddiau du.

Ystafelloedd mawr.

Gwneud rhywbeth anhunanol.

Arogl bara.

Gwisgo dillad glân. (Awdur ydw i, wedi'r cwbl, felly mae hyn yn digwydd yn llai aml nag y byddech yn ei feddwl.)

Meddwl bod gen i bethau sy'n gweithio i mi.

Gwybod bod pethau eraill yn gweithio i bobl eraill.

Ymgolli yn rhywbeth.

Gwybod y gallai rhywun arall ddarllen y geiriau hyn ac, efallai, na wnes i ddiodde'r boen yn ofer.

5
Bod

'Rhowch eich clust at eich enaid a gwrando'n astud.'
—Anne Sexton

Molawd i groen tenau

Mae gen i groen tenau.

Dwi'n credu bod hyn yn rhan annatod o iselder a gorbryder, neu – i fod yn fanwl gywir – o fod yn berson sy'n eithaf tebygol o ddioddef iselder a gorbryder. Dwi hefyd yn credu na wna i lwyr wella o'r chwalfa a brofais i bedair blynedd ar ddeg yn ôl. Os yw carreg yn disgyn yn ddigon caled ar wyneb y dŵr, mae'r tonnau bach yn para am oes.

Dwi wedi mynd o beidio byth â theimlo'n hapus i deimlo'n hapus – neu rywle'n agos at deimlo'n hapus, o leiaf – y rhan fwyaf o'r amser. Felly dwi'n lwcus. Ond dwi'n cael pyliau bach weithiau. Naill ai pan dwi'n wirioneddol isel neu'n orbryderus neu oherwydd fy mod i'n brwydro yn erbyn arwyddion iselder neu orbryder drwy wneud rhywbeth gwirion (meddwi'n rhacs a chyrraedd y tŷ am bump o'r gloch y bore ar ôl colli fy waled a gorfod erfyn ar yrwyr tacsi i fynd â fi adre). Ond ar y cyfan, o ddydd i ddydd, dydw i ddim yn ei ymladd. Dwi'n fwy parod i dderbyn pethau. Dyma pwy ydw i. A beth bynnag, mae ei *ymladd* yn ei wneud yn waeth. Y gyfrinach yw ceisio dod yn gyfeillgar ag iselder a gorbryder. Bod yn ddiolchgar amdanyn nhw, oherwydd wedyn fe fyddwch chi'n gallu delio â nhw'n llawer gwell. A'r ffordd dwi wedi dod yn gyfaill iddyn nhw yw drwy ddiolch iddyn nhw am fy nghroen tenau.

Mae'n wir, heb y croen tenau, na fyddwn i erioed wedi profi'r dyddiau ofnadwy hynny o wacter llwyr. Y dyddiau hynny o naill ai panig neu lesgedd mor ddwys nes bod fy esgyrn ar dân. Y dyddiau hynny pan oeddwn i'n casáu fy hun, neu'n boddi dan donnau anweledig. Roedd fy hunandosturi mor llethol fel 'mod i weithiau'n teimlo'n rhy fregus i fyw mewn byd o gyflymder ac onglau sgwâr a sŵn. (Dwi wrth fy modd â theori esblygol Jonathan Rottenberg ynghylch iselder, sy'n ymwneud â methu addasu i'r presennol: 'Mae system hwyliau hynafol wedi gwrthdaro ag amgylchfyd gweithredu hynod newydd a grëwyd gan rywogaeth ryfeddol.')

Ond fyddwn i'n mynd i sba feddyliol hudol a holi am driniaeth i dewychu'r croen? Na fyddwn, yn fwy na thebyg. Mae'n rhaid i chi deimlo arswyd bywyd er mwyn teimlo'i ryfeddod.

Fel mae'n digwydd, dwi'n ei deimlo heddiw, yr eiliad hon, ar brynhawn a allai ymddangos yn ddigon llwyd a chymylog. Dwi'n teimlo holl ryfeddod annirnad ein bywydau hynod ar y ddaear, saith biliwn ohonon ni, wedi'n crynhoi yn ein trefi a'n dinasoedd ar y smotyn bach glas golau hwn o blaned, yn treulio'r 30,000 o ddydiau a ddyrannwyd ar ein cyfer orau y gallwn ni, mewn distadledd gogoneddus.

Dwi'n hoffi teimlo grym y wyrth honno. Dwi'n hoffi tyrchu'n ddwfn i'r bywyd hwn, a'i archwilio drwy hud geiriau a hud y ddynoliaeth (a hud brechdanau menyn cnau mwnci). A dwi'n falch o deimlo pob eiliad gythryblus ohono, yn falch fod fy nghroen yn llythrennol yn binnau bach drosto a'm calon yn dychlamu wrth i mi gerdded i mewn i'r ystafell enfawr sy'n llawn o ddarluniau Tintoretto yn yr Oriel Genedlaethol yn Llundain, yn falch o'r synesthesia sy'n golygu bod fy meddwl i'n teimlo gwres gwirioneddol yn yr hen eiriau Americanaidd wrth ddarllen gwaith Emily Dickinson neu Mark Twain.

Teimlo.

Dyna sydd wrth wraidd y cyfan.

Mae pobl yn rhoi cymaint o werth ar feddwl, ond mae teimlo'r un mor hanfodol. Dwi eisiau darllen llyfrau sy'n gwneud i mi chwerthin a chrio ac ofni a gobeithio a dyrnu'r awyr yn fuddugoliaethus. Dwi eisiau i lyfr fy nghofleidio neu gydio ynof gerfydd fy ngwar. Does dim ots os yw'n fy nyrnu yn y stumog, hyd yn oed. Oherwydd rydyn ni yma i deimlo.

Dwi eisiau bywyd.

Dwi eisiau ei ddarllen a'i ysgrifennu a'i deimlo a'i fyw.

Dwi eisiau, am gyhyd ag sy'n bosib yn ein hamrantiad o fodolaeth, teimlo popeth y mae modd ei deimlo.

Dwi'n casáu iselder. Dwi'n ei ofni. Yn arswydo rhaggdo, a dweud y gwir. Ond ar yr un pryd, mae wedi fy ngwneud i'n pwy ydw i. Ac os – i mi – mai dyna'r pris am deimlo bywyd, mae bob amser yn bris gwerth ei dalu.

Dwi'n fodlon dim ond bodoli.

Sut i fod ychydig yn
hapusach na Schopenhauer

I ARTHUR SCHOPENHAUER, hoff athronydd dioddefwyr iselder (ac un a ddylanwadodd ar Nietzsche, Freud ac Einstein mewn ffyrdd amrywiol ond arwyddocaol), yr hyn oedd bywyd oedd mynd ar drywydd amcanion ofer. 'Rydyn ni'n chwythu swigen sebon am gyhyd ac mor fawr â phosib, gan wybod i sicrwydd y bydd yn byrstio.' O edrych ar bethau fel hyn mae hapusrwydd yn amhosib, oherwydd yr holl nodau yma. Nodau yw ffynhonnell trallod. Mae nod na chaiff ei gyrraedd yn achosi poen, ond dim ond boddhad byrhoedlog a ddaw o'i gyflawni.

A dweud y gwir, os ystyriwch chi'r peth yn ofalus, mae bywyd sydd wedi'i seilio ar nodau yn mynd i fod yn fywyd siomedig. Ydy, mae'n mynd i'ch gwthio chi ymlaen, a pheri i chi droi tudalennau eich bodolaeth eich hun, ond yn y pen draw fe fydd yn eich gadael yn wag. Oherwydd hyd yn oed os gwnewch chi gyflawni'ch nodau, beth wedyn? Efallai i chi ennill rhywbeth nad oedd gennych chi o'r blaen, ond pa wahaniaeth fydd meddu arno yn ei wneud? Rydych chi naill ai'n gosod nod arall, yn pryderu am ddal gafael ar yr hyn rydych chi wedi'i gael, neu rydych chi'n meddwl – fel y miliynau sy'n profi argyfwng canol oed, argyfwng ieuenctid neu argyfwng henaint ar yr union eiliad hon – *Dyma bopeth roedd arnaf ei eisiau, felly pam nad ydw i'n hapus?*

Felly beth oedd ateb Schopenhauer? Wel, os mai deisyfu pethau oedd y broblem, yr ateb, mae'n rhaid, oedd rhoi'r gorau i bethau. Yn ei iaith yntau, grym yr *ewyllys* yw achos dioddefaint.

Credai Schopenhauer y byddai unigolyn, o weld y darlun mawr, o edrych ar y ddynoliaeth a'i dioddefaint yn ei chyfanrwydd, yn troi cefn ar fywyd a gwadu ei reddfau. Mewn geiriau eraill, mae cynllun Schopenhauer yn golygu dim rhyw, ychydig iawn o arian, ymprydio a chryn dipyn o hunanartaith.

Dim ond felly – drwy wadu ewyllys dynol yn llwyr – y gallwn ni weld y gwirionedd: 'nad oes dim o'n blaenau i sicrwydd heblaw diddymdra'.

Tywyll braidd, yn dydy?

Wel, ydy. Er nad oedd Schopenhauer yn argymell hunanladdiad, roed yn argymell hunanladdiad byw o ryw fath, a thrin unrhyw fath o bleser gyda dirmyg.

Ond roedd Schopenhauer yn rhagrithiwr o'r iawn ryw. Doedd o ddim yn byw yn ôl ei eiriau ei hun. Fel yr esboniodd Bertrand Russell yn ei gyfrol *History of Western Philosophy*:

Roedd yn bwyta'n dda yn gyson, mewn bwyty da, cafodd nifer o garwriaethau dibwys, rhai cnawdol ond nid angerddol; roedd yn eithriadol o gwerylgar ac yn anghyffredin o drachwantus. Ar un adeg, fe'i cythruddwyd gan wniadwraig oedrannus a oedd yn sgwrsio â ffrind iddi y tu allan i ddrws ei fflat. Fe'i taflodd i lawr y grisiau, gan achosi niwed parhaol iddi... Mae'n anodd dod o hyd i unrhyw rinwedd yn ei fywyd heblaw caredigrwydd tuag at anifeiliaid... Ym mhob ffordd arall, roedd yn gwbl hunanol.

Mae Schopenhauer – y pesimist mwyaf ohonyn nhw i gyd – yn dangos yn glir sut mae anhapusrwydd yn gweithio. Roedd ei waith yn creu nodau a oedd i fod yn groes i nodau, nodau na allai eu cyflawni.

Nawr, dydw i ddim o blaid taflu hen wragedd i lawr grisiau, ond dwi'n tueddu i ryw gynhesu at Schopenhauer. Dwi'n credu ei fod wedi adnabod y broblem – ewyllys neu chwant yr hunan neu gymhelliant i gyflawni nodau, pa bynnag derm hanesyddol sy'n mynd â'ch bryd – ond yn ystod ei fywyd bu'n ymbalfalu yn y tywyllwch (yn aml yn llythrennol, o gofio llanast ei fywyd carwriaethol).

Felly beth yw'r ffordd allan? Sut mae rhwystro'r dyheu a'r pryderu diddiwedd? Sut mae camu oddi ar y felin droed? Sut mae stopio amser? Sut mae stopio poeni am y dyfodol nes ein bod ni wedi ymlâdd?

Mae'r atebion gorau – y rhai sydd wedi eu hysgrifennu a'u cofnodi ers miloedd o flynyddoedd – wastad yn ymwneud â derbyn. Roedd Schopenhauer ei hun yn drwm dan ddylanwad athroniaeth hynafol y Dwyrain. 'Mae'r gwirionedd wedi ei gydnabod gan ddoethion India,' meddai. Yn wir, mae ei gred mai ymwrthod â phleserau bydol yw cyfrinach bywyd yn rhywbeth y mae'n ei rannu â llawer o feddylwyr Bwdhaidd.

Ond dydy syniadau Bwdhaeth ddim mor negyddol a phrudd â Schopenhauer. Yn achos Schopenhauer, mae'r holl asgetigiaeth yma'n ymddangos yn rhy debyg i hunan-gosb a hunangasineb, ac mae hynny'n afiach a gwrthgynhyrchiol.

Dydy byd yn llawn pobl sy'n casáu eu hunain ddim yn fyd hapus.

Dydy Bwdhaeth ddim fel petai'n ymwneud â hunan-gosb.

Un o symbolau allweddol Bwdhaeth yw'r blodyn lotws. Mae'r blodyn lotws yn tyfu yn y mwd ar waelod pwll, ond mae'n codi allan o'r dŵr tywyll ac yn blodeuo yn yr awyr iach, yn bur a phrydferth, cyn gwywo maes o law. Mae'r trosiad hwn ar gyfer goleuedigaeth ysbrydol yn gweithio hefyd fel trosiad ar gyfer gobaith a newid. Gellid gweld y mwd fel iselder neu orbryder. Y blodau yn yr awyr iach fyddai'r hunan amgen y gwyddom y gallwn ni fod, heb ei lethu gan anobaith.

Yn wir, mae llawer iawn o'r *Dhammapada*, prif destun sanctaidd Bwdhaeth (sef cofnod o ddysgeidiaeth Gautama Buddha), yn debyg i lyfr hunangymorth cynnar.

'Nid oes neb yn ein hachub ond ni ein hunain, ni all neb ac ni chaiff neb.' Mewn Bwdhaeth, nid rhywbeth allanol yw iachawdwriaeth. I fod yn hapus, ac yn dawel ein meddwl, yn ôl Bwdhaeth, mae'n rhaid i ni fod yn wyliadwrus, yn ymwybodol ohonon ni'n hunain. *Yn ymwybyddol ofalgar.* 'Fel mae'r glaw yn llifo i mewn i dŷ â tho gwellt tila, bydd angerdd ar ffurf ddioddefaint yn llifo i mewn i feddwl nad yw'n myfyrio.'

Mewn byd gyda chryn dipyn yn fwy o ddeniadau llachar nag oedd ar gael yn India'r Himalaya ymhell dros ddwy fil o flynyddoedd yn ôl, hwyrach fod ein tai meddyliol trosiadol yn anoddach i'w toi nag erioed o'r blaen.

Bellach, mae ein meddyliau'n debycach i gyfrifiaduron nag i dai to gwellt. Yn ddamcaniaethol, gallwn i agor dogfen Word a gwneud dim byd ond ysgrifennu, ond mae'n debyg y byddwn i hefyd yn bwrw golwg ar Facebook, Twitter, Instagram, a gwefan y *Guardian*. Pe bawn i ar ganol cyfnod niwrotig, mae'n bosib y byddwn i'n gwneud chwiliad i faldodi'r hunan, neu'n edrych am adolygiad newydd o un o'm llyfrau ar Goodreads neu Amazon, neu'n troi at Google a theipio rhestr o anhwylderau real neu ddychmygol er mwyn gweld pa afiechyd angheuol sydd gen i ar hyn o bryd.

Byddai Bwdha ei hun yn cael anhawster yn y byd sydd ohoni, er y byddai'r diffyg Wi-Fi wrth odre mynyddoedd yr Himalaya yn fendith pe baech chi eisiau myfyrio o dan goeden am bedwar deg naw diwrnod.

Un peth yr ydw i'n ei ddeall, fodd bynnag, yw nad yw mwy yn golygu *gwell*. Dydw i ddim yn Fwdhydd. Mae canllawiau caeth a sicr yn fy arswydo i lawer gormod. Mae amwysedd bywyd yn ei harddu. Ond dwi'n hoffi'r syniad o fod yn effro i ni'n hunain, o fod mewn cyswllt â'r bydysawd, yn hytrach na byw bywyd ar ryw si-so o obaith ac ofn.

I mi'n bersonol, nid mater o droi cefn ar fyd llawn *stwff* yw hapusrwydd, ond yn hytrach ei werthfawrogi am yr hyn ydyw. Allwn ni ddim achub ein hunain rhag dioddefaint drwy brynu iPhone. Dydy hynny ddim yn golygu na ddylen ni brynu un, dim ond y dylen ni wybod nad yw gwneud hynny yn nod ynddo'i hun.

A thosturi.

Dyna beth arall dwi'n ei hoffi ynglŷn â Bwdhaeth.

Y syniad fod caredigrwydd yn ein gwneud ni'n hapusach na hunanoldeb. Fod caredigrwydd yn llarpio'r hunan – neu i Schopenhauer, yr ewyllys – sy'n ein rhyddhau o ddioddefaint ein dyheadau a'n hanghenion.

Mae bod yn anhunanol ar yr un pryd â bod yn ymwybyddol ofalgar fel petai'n ateb da i bethau, pan mae'r hunan yn dwysáu ac yn peri i ni ddioddef.

Mae bod yn dda yn gwneud i ni deimlo'n dda oherwydd ei fod yn ein hatgoffa nad ni yw'r unig berson o bwys yn y byd. Rydyn ni i gyd o bwys oherwydd ein bod ni i gyd yn fyw. Felly mae caredigrwydd yn ffordd weithredol o wneud i ni weld a theimlo'r darlun mawr. Yn y pen draw, rydyn ni i gyd yr un peth. Bywyd ydyn ni. Ymwybyddiaeth. Ac felly, drwy deimlo'n rhan o'r ddynoliaeth, yn hytrach nag yn uned ar wahân, rydyn ni'n teimlo'n well. Hwyrach y byddwn ni'n marw'n gorfforol, fel y byddai cell mewn corff yn marw, ond mae corff bywyd yn parhau. Felly, yn yr ystyr fod bywyd yn brofiad a rennir, rydyn ninnau hefyd yn parhau.

Hunangymorth

Sut i atal amser: cusanu.
Sut i deithio drwy amser: darllen.
Sut i ddianc rhag amser: cerddoriaeth.
Sut i deimlo amser: ysgrifennu.
Sut i ryddhau amser: anadlu.

Meddyliau am amser

MAE AMSER YN peri trafferth i ni.

Oherwydd amser rydyn ni'n heneiddio, oherwydd amser rydyn ni'n marw. Mae'r rhain yn bethau sy'n peri pryder. Fel y dywedodd Aristoteles, 'mae amser yn malurio pethau'. Ac rydyn ni'n ofni gweld ein hunain yn malurio, a gweld eraill yn malurio hefyd.

Rydyn ni'n teimlo rheidrwydd i fwrw ymlaen gan fod amser yn brin. Jest gwnewch o, chwedl Nike. Ond ai *gwneud* yw'r ateb? Neu a yw gwneud yn peri i amser gyflymu? Oni fyddai'n well jest *bodoli*, er y gallai hynny olygu gostyngiad yng ngwerthiant esgidiau chwaraeon?

Mae amser yn symud ar sawl cyflymder gwahanol. Fel y soniais o'r blaen, roedd y misoedd hynny ym 1999 a 2000 pan oeddwn i'n wirioneddol wael yn teimlo fel blynyddoedd. Degawdau, hyd yn oed. Mae poen yn ymestyn amser, ond dim ond oherwydd bod poen yn ein gorfodi i fod yn ymwybodol ohono.

Mae bod yn ymwybodol o bethau eraill hefyd yn ymestyn amser. Dyna'r cyfan yw myfyrio. Ymwybyddiaeth ohonon ni'n hunain yn 'ambr' yr ennyd, a defnyddio term Kurt Vonnegut. Mae'n swnio'n hawdd, ond faint o'n bywydau ydyn ni'n ei dreulio yn byw yn y presennol mewn gwirionedd? Faint o amser ydyn ni'n ei dreulio yn edrych ymlaen neu'n poeni am y dyfodol, neu'n difaru neu alaru am y gorffennol? Ein hymateb ni i'r holl bryderu am amser yw ceisio cyflawni pethau cyn ei bod hi'n rhy hwyr. Gwneud arian, gwella'n statws, priodi, cael plant, cael dyrchafiad, gwneud mwy o arian ac yn y blaen am byth bythoedd. Neu'n hytrach, ddim am byth. Pe bai am byth, fydden ni ddim yn cael y drafodaeth yma. Ond rydyn ni'n rhyw lun o ddeall bod troi bywyd yn ras orffwyll am fwy o stwff yn un ffordd sicr o'i fyrhau. Nid o ran blynyddoedd, nid o safbwynt amser go iawn, ond o safbwynt sut mae amser yn teimlo. Dychmygwch fod ein holl amser yn cael ei gyflwyno i ni mewn potel, fel gwin. Sut bydden ni'n gwneud i'r botel honno bara? Drwy yfed yn araf a sawru'r blas, neu drwy lowcio'n wyllt ohoni?

Formentera

I'R DE O Ibiza mae ynys fechan Formentera, y bedwaredd o ran maint o'r Ynysoedd Balearig. Roeddwn i ac Andrea'n arfer mynd yno weithiau ar ein dyddiau prin i ffwrdd o'r gwaith. Roedd hi'n ynys o draethau gwynion a dŵr dilychwin – y glanaf ym Môr y Canoldir oherwydd y morwellt tanddwr a warchodir gan UNESCO. Dyma'r hafan dawel, yr *yin* o'i chymharu ag *yang* gorffwyll Ibiza. Mae'r boblogaeth fechan o ddwy fil o bobl yn cynnwys dogn helaeth o arlunwyr, hipis ac athrawon ioga (edrychwch ar fap ac fe welwch fod yr ynys ar ffurf llythyren V ben i waered, fel pe bai'n sownd yn yr ystum ioga 'ci pen-i-lawr'). Roedd awyrgylch y chwedegau yn dal i'w deimlo yno. Treuliodd Bob Dylan gyfnod yn byw yn y goleudy yn Cap de Barbaria, ar bwynt mwyaf deheuol yr ynys. Ar Formentera hefyd yr ysgrifennodd Joni Mitchell ei record hir *Blue*.

Roedd gen i ffobia ynghylch yr Ynysoedd Balearig ar un adeg. Allwn i ddim dioddef y syniad eu bod nhw'n bodoli, oherwydd mai ar Ibiza y dechreuais i ddadfeilio. Ond bellach, pan dwi'n meddwl am rywle tawel, am y fan hon y bydda i'n meddwl. Dwi'n dychmygu'r dirwedd yn llawn coed jiwniper a choed almon. Dwi'n meddwl am y môr yno hefyd. Mor llachar a glas a chlir.

Dwi'n meddwl am enwau'r pentrefi bychain, a'r harbwr, a'r traethau. Es Pujol, El Pilar de la Mola, La Savina, Cap de Barbaria, Playa Illetes. Ac, yn fwy atgofus fyth, enw'r ynys ei hun.

Pan fydda i'n teimlo'r tensiwn yn cynyddu, fe fydda i'n cau fy llygaid weithiau ac yn meddwl amdano, a'r gair yn llifo fel dŵr heli meddal, dilychwin ar draws y tywod. *Formentera, Formentera, Formentera...*

Delweddau ar sgrin

YN YR HEN ddyddiau, cyn y chwalfa, roeddwn i'n arfer delio â phryder drwy droi fy sylw i gyfeiriad arall. Drwy fynd allan i glybiau, drwy yfed yn drwm, drwy dreulio hafau yn Ibiza, drwy ddeisyfu'r bwyd mwyaf sbeislyd, y ffilmiau mwyaf dros ben llestri, y nofelau mwyaf beiddgar, y gerddoriaeth fwyaf swnllyd, y nosweithiau hwyraf. Roedd arna i ofn tawelwch. Roedd arna i ofn, am wn i, gorfod arafu a gostwng y sain. Ofn bod â dim byd ond fy meddwl fy hun i wrando arno.

Ond wedi i mi fynd yn sâl, roedd y cyfan yma tu hwnt i fy nghyrraedd. Dwi'n cofio troi'r radio ymlaen unwaith a chael pwl o banig wrth glywed cerddoriaeth 'house' yn pwnio. Pe bawn i'n bwyta *jalfrezi*, fe fyddwn i'n gorwedd yn fy ngwely'r noson honno yn gweld rhithiau a'm calon yn curo ar wib. Mae pobl yn sôn am hunanfeddyginiaethu gydag alcohol a chyffuriau, ac fe fyddwn i wrth fy modd pe bawn i wedi gallu pylu fy synhwyrau. Fe fyddwn i wedi cymryd crac pe bawn i'n meddwl am eiliad y gallai fy helpu i anwybyddu'r corwynt yn fy mhen. Ond rhwng fy mhedair ar hugain a'm tri deg dau, wnes i ddim yfed cymaint ag un gwydraid o win. Nid am fy mod i'n gryf (fel y tybiai fy narpar fam yng nghyfraith lwyrymwrthodol) ond oherwydd bod unrhyw beth a allai newid cyflwr fy meddwl yn codi braw arna i. Treuliais bump o'r blynyddoedd hynny'n gwrthod cymryd tabled *ibuprofen*, hyd yn oed. Nid am fy mod i'n feddw gaib pan es i'n sâl gyntaf – y diwrnod hwnnw roeddwn i heb yfed diferyn o alcohol ac roeddwn i yng nghanol cyfnod (cymharol) iach. Mae'n debyg mai teimlad oedd o bod fy meddwl bregus yn y fantol, fel y bws ar ymyl y dibyn yn *The Italian Job*. Er mor atyniadol oedd yr aur/alcohol, byddai estyn amdano yn golygu eich bod chi'n plymio ar eich pen i ddifancoll.

Felly dyna oedd y broblem. Ar yr union adeg roedd angen i mi allu peri i fy meddwl grwydro, allwn i ddim gwneud hynny. Roedd y fath ofn arna i fel y byddai arogli gwin coch Andrea yn ddigon i wneud i mi ddychmygu'r moleciwlau a anadlais i mewn yn cyrraedd fy ymennydd ac yn ei wthio ymhellach fyth oddi wrtha i.

Ond roedd hynny'n beth da. Roedd yn golygu bod yn rhaid i mi ganolbwyntio ar fy meddwl. Fel mewn hen ffilm arswyd, roeddwn i'n agor y llen ac yn dod wyneb yn wyneb â'r bwystfil.

Flynyddoedd yn ddiweddarach fe fyddwn i'n darllen llyfrau am ymwybyddiaeth ofalgar a myfyrdod, ac yn sylweddoli mai'r allwedd i hapusrwydd – neu'r peth mwy dymunol fyth hwnnw, *tawelwch meddwl* – yw peidio â meddwl am bethau hapus o hyd. Na. Mae hynny'n amhosib. Allai'r un meddwl gydag owns o ddeallusrwydd dreulio oes gyfan yn meddwl am ddim byd ond pethau hapus. Y gyfrinach yw derbyn eich meddyliau, pob un ohonyn nhw, hyd yn oed y rhai drwg. Derbyniwch eich meddyliau, ond peidiwch â gadael iddyn nhw eich diffinio chi.

Ceisiwch ddeall, er enghraifft, nad yw cael meddwl trist, neu gyfres barhaus o feddyliau trist, yr un peth â bod yn berson trist. Gallwch gerdded drwy storm a theimlo'r gwynt, ond rydych chi'n gwybod nad chi yw'r gwynt.

Dyna sut mae'n rhaid i ni fod gyda'n meddyliau. Mae'n rhaid i ni adael i ni'n hunain deimlo'u rhyferthwy a'u cawodydd trymion, gan fod yn ymwybodol o hyd nad yw hyn yn ddim mwy na thywydd angenrheidiol.

Pan fydda i'n suddo i'r dyfnderoedd nawr, ac mae hynny'n digwydd yn achlysurol, dwi'n ceisio deall bod rhan arall ohonof, rhan fwy a chryfach, nad yw'n suddo. Mae'n sefyll yn gadarn. Mae'n debyg mai fy enaid fyddai'r enw ar y rhan honno ar un adeg.

Does dim rhaid i ni ddefnyddio'r gair hwnnw, os ydyn ni'n credu bod gormod o gynodiadau iddo. Gallwn gyfeirio at y peth fel yr hunan. Dyma sy'n rhaid i ni ei ddeall. Os ydyn ni'n flinedig neu'n llwglyd neu'n dioddef ar ôl yfed gormod y noson cynt, rydyn ni'n debygol o fod mewn hwyliau drwg. Ond nid y ni go iawn yw'r hwyliau drwg hynny. Mae credu yn y pethau a deimlwn bryd hynny yn gyfeiliornus, felly, oherwydd byddai'r teimladau hynny'n diflannu o gael cwsg neu rywbeth i'w fwyta.

Ond pan oeddwn i ar fy isaf cyffyrddais â rhywbeth solet, rhywbeth caled a chadarn a oedd yn greiddiol ynof i.

Rhywbeth gwydn, nad oedd yn newid wrth i fy meddyliau newid. Yr hunan sy'n gyfystyr nid yn unig â minnau, ond â ninnau hefyd. Yr hunan sy'n fy nghysylltu i â chi, un bod dynol â bod dynol arall. Grym caled na ellir ei dorri, grym goroesi. Grym bywyd. Grym y 150,000 o genedlaethau a aeth o'n blaenau ni, a'r rhai sydd heb eu geni eto. Ein hanfod dynol. Yn union fel mae'r ddaear o dan Efrog Newydd a Lagos, dyweder, yr un fath yn union os ewch chi'n ddigon dwfn, felly hefyd mae pob un o drigolion y blaned ryfedd, ryfeddol hon yn rhannu'r un craidd.

Fi yw chi a chi yw fi. Rydyn ni ar ein pen ein hunain, ac eto dydyn ni ddim. Rydyn ni'n gaeth i amser ond yn anfeidrol hefyd. Wedi'n creu o gig a gwaed, ond hefyd o'r sêr.

Bychander

Tua mis yn ôl, fe es i'n ôl i ymweld â'm rhieni yn Newark. Dydyn nhw ddim yn byw yn yr un tŷ bellach, ond mae eu stryd nhw'n cydredeg â'r stryd lle roedden ni'n arfer byw. Pum munud o gerdded.

Mae siop y gornel yn dal yno. Cerddais yno *ar fy mhen fy hun* i brynu papur newydd, ac roeddwn i'n gallu aros am fy newid gan y siopwr yn hapus braf. Yr un tai brics oren oedd yno. Doedd fawr ddim wedi newid. Does dim sy'n gwneud i chi deimlo'n llai, yn fwy dibwys, na'r fath drawsnewidiad enfawr y tu mewn i'ch meddwl chi tra bod y byd yn mynd yn ei flaen, yn ddiarwybod. Does dim chwaith yn gwneud i chi deimlo'n fwy rhydd na derbyn eich bychander yn y byd.

Sut i fyw (deugain pwt o gyngor sydd o gymorth ond nad ydw i'n eu dilyn bob tro)

1. Gwerthfawrogwch hapusrwydd pan mae o yno.
2. Yfwch yn araf deg, peidiwch â llowcio.
3. Byddwch dyner â chi'ch hun. Gweithiwch lai. Cysgwch fwy.
4. Does dim byd o gwbl am y gorffennol sy'n bosib i chi ei newid. Ffiseg elfennol yw hynny.
5. Gochelwch ddydd Mawrth. A mis Hydref.
6. Roedd Kurt Vonnegut yn iawn. 'Darllen ac ysgrifennu yw'r mathau mwyaf maethlon o fyfyrio i neb ddod o hyd iddyn nhw hyd yn hyn.'
7. Treuliwch fwy o amser yn gwrando nag yn siarad.
8. Peidiwch â theimlo'n euog am fod yn segur. Mae'n siŵr bod gwaith yn gwneud mwy o ddrwg i'r byd na segurdod. Ond perffeithiwch eich segurdod. Ceisiwch segura yn ymwybyddol ofalgar.
9. Byddwch yn ymwybodol eich bod yn anadlu.
10. Lle bynnag y byddwch chi, ac ar unrhyw adeg, ceisiwch ddod o hyd i rywbeth prydferth. Wyneb, llinell o gerdd,

y cymylau drwy ffenest, graffiti, fferm wynt. Mae prydferthwch yn glanhau'r meddwl.

11. Mae casineb yn emosiwn dibwynt i'w gael oddi mewn i chi. Mae fel bwyta sgorpion i'w gosbi am eich pigo.

12. Ewch i redeg. Wedyn gwnewch ychydig o ioga.

13. Ewch i'r gawod cyn hanner dydd.

14. Edrychwch ar yr awyr. Atgoffwch eich hun o'r cosmos. Ceisiwch aruthredd bob cyfle gewch chi, er mwyn gweld eich bychander eich hun.

15. Byddwch yn garedig.

16. Deallwch nad yw meddyliau'n ddim byd ond meddyliau. Os ydyn nhw'n afresymol, ceisiwch resymu â nhw, hyd yn oed os nad oes gennych chi reswm ar ôl. Arsylwr ar eich meddwl ydych chi, nid ei ysglyfaeth.

17. Peidiwch â gwylio'r teledu yn ddiamcan. Peidiwch â mynd ar y cyfryngau cymdeithasol yn ddiamcan. Byddwch yn ymwybodol o hyd o'r hyn rydych chi'n ei wneud, a pham rydych chi'n ei wneud o. Peidiwch â rhoi llai o werth ar deledu, rhowch fwy o werth arno, wedyn fe wnewch chi dreulio llai o amser yn ei wylio. Bydd pethau sy'n mynd â'ch sylw heb i chi eu ffrwyno yn eich gyrru chi'n hurt.

18. Eisteddwch. Gorweddwch. Byddwch yn llonydd. Peidiwch â gwneud dim. Gwyliwch. Gwrandewch ar eich meddwl. Gadewch iddo wneud yr hyn mae'n ei wneud heb ei farnu. Gadewch iddo fynd, fel Brenhines yr Eira yn *Frozen*.

19. Peidiwch â phoeni am bethau sy'n annhebygol o ddigwydd.

20. Edrychwch ar goed. Byddwch yn agos at goed. Plannwch goed. (Mae coed yn wych.)

21. Gwrandewch ar yr athro ioga hwnnw ar YouTube, a 'cherdded fel pe baech yn cusanu'r Ddaear â'ch traed'.

22. Ceisiwch fyw. Caru. Gadael fynd.

23. Mathemateg alcohol. Mae gwin yn lluosi ei hun gydag o'i hunan. Mwya'n y byd gewch chi, mwya'n y byd rydych chi'n debygol o'i gael. Ac os yw'n anodd rhoi'r gorau iddi ar ôl un gwydraid, bydd yn amhosib gwneud hynny ar ôl tri. Mae adio'n golygu lluosi.

24. Gochelwch y bwlch. Y bwlch rhwng ble rydych chi a ble rydych chi eisiau bod. Mae meddwl am y bwlch yn ddigon i'w ledu, ac fe allech chi ddisgyn i mewn iddo.

25. Darllenwch lyfr heb feddwl am ei orffen. Dim ond ei ddarllen. Mwynhewch bob gair, pob brawddeg a phob paragraff. Peidiwch â deisyfu iddo orffen, na chwaith iddo beidio byth â gorffen.

26. Ni fydd unrhyw gyffur yn y bydysawd cyfan yn gwneud i chi deimlo'n well, ar y lefel ddyfnaf un, na bod yn garedig tuag at bobl eraill.

27. Gwrandewch ar yr hyn ddywedodd Hamlet – dioddefwr iselder enwocaf llenyddiaeth – wrth Rosencrantz a Guildenstern: 'Nid oes dim sy'n dda nac yn ddrwg, ond mae meddwl yn peri i hynny ddigwydd.'

28. Os oes rhywun yn eich caru, gadewch iddyn nhw wneud. Credwch yn y cariad hwnnw. Byddwch fyw er eu mwyn, hyd yn oed pan fyddwch chi'n teimlo nad oes pwynt gwneud hynny.

29. Does dim angen i'r byd eich deall chi. Mae hynny'n iawn. Fydd rhai pobl byth mewn gwirionedd yn deall pethau nad ydyn nhw wedi'u profi. Fe fydd eraill yn deall. Byddwch yn ddiolchgar.

30. Ysgrifennodd Jules Verne am 'Anfeidroldeb Byw'. Dyma'r byd o gariad ac emosiwn sydd fel môr. Os gallwn ni blymio o dan yr wyneb gallwn ganfod yr anfeidrol ynom ni, a'r gofod sydd ei angen arnon ni i oroesi.

31. Dydy tri o'r gloch y bore byth yn amser addas i geisio rhoi trefn ar eich bywyd.

32. Cofiwch nad oes dim byd od yn eich cylch. Bod dynol ydych chi, ac mae popeth rydych chi'n ei wneud a'i deimlo yn beth naturiol, oherwydd anifeiliaid naturiol ydyn ni. Natur ydych chi. Rydych chi'n epa hominidaidd. Rydych chi yn y byd ac mae'r byd ynoch chi. Mae popeth ynghlwm â'i gilydd.

33. Peidiwch â chredu mewn da a drwg, ennill a cholli, buddugoliaeth a gorchfygiad, i fyny ac i lawr. Ar eich isaf ac ar eich uchaf, p'un a ydych chi'n hapus neu'n anobeithiol neu'n ddigynnwrf neu'n ddig, mae cnewyllyn ohonoch sy'n aros yr un peth. Hwnnw yw'r chi sydd o bwys.

34. Peidiwch â phoeni am yr amser rydych chi'n ei golli i anobaith. Mae'n golygu bod yr amser a gewch chi wedi hynny wedi dyblu yn ei werth.

35. Byddwch yn dryloyw i chi'ch hun. Gwnewch dŷ gwydr i'ch meddwl. Sylwch.

36. Darllenwch Emily Dickinson. Darllenwch Graham Greene. Darllenwch Italo Calvino. Darllenwch Maya Angelou. Darllenwch beth bynnag sydd at eich dant. Darllenwch, dyna i gyd. Posibiliadau yw llyfrau. Ffyrdd o ddianc. Maen nhw'n rhoi opsiynau i chi lle nad oedd opsiynau o'r blaen. Gall pob llyfr gynnig cartref i feddwl sydd wedi'i ddadwreiddio.

37. Os yw'r haul yn gwenu a bod modd i chi fod yn yr awyr iach, *ewch allan.*

38. Cofiwch mai'r peth allweddol am fywyd ar y ddaear yw newid. Mae ceir yn rhydu. Mae papur yn melynu. Mae technoleg yn dyddio. Mae lindys yn troi'n loÿnnod byw. Mae nos yn troi'n ddydd. Mae iselder yn cilio.

39. Pan fyddwch chi'n teimlo nad oes gennych chi amser i ymlacio, dyna'r eiliad y mae hi fwyaf pwysig i chi wneud amser i ymlacio.

40. Byddwch ddewr. Byddwch gryf. Anadlwch, a daliwch ati. Byddwch yn diolch i chi'ch hun yn nes ymlaen.

Pethau dwi wedi'u mwynhau ers yr adeg roeddwn i'n meddwl na fyddwn i byth yn mwynhau dim byd eto

CODIAD HAUL, MACHLUD haul, y miloedd o heuliau a bydoedd gwahanol i'n rhai ni sy'n disgleirio yn yr awyr bob nos. Llyfrau. Cwrw oer. Awyr iach. Llyfrau clawr papur sy'n melynu. Croen yn erbyn croen am un o'r gloch y bore. Cusanau hir, dwfn, ystyrlon. Cusanau byr, bas, cwrtais. (Pob cusan.) Pyllau nofio oer. Cefnforoedd. Moroedd. Afonydd. Llynnoedd. Ffiordydd. Pyllau. Pyllau glaw. Tanllwyth o dân. Prydau tafarn. Eistedd allan yn bwyta olifau. Y golau'n pylu yn y sinema, gyda bwced o bopcorn cynnes ar eich glin. Cerddoriaeth. Cariad. Emosiwn heb gywilydd. Pyllau creigiog. Pyllau nofio. Brechdanau menyn cnau mwnci. Arogl pin ar noson gynnes yn yr Eidal. Yfed dŵr ar ôl rhedeg am gyfnod hir. Cael newyddion da ar ôl problem gyda fy iechyd. Derbyn *yr* alwad ffôn honno. Will Ferrell yn *Elf.* Siarad â'r person sy'n fy adnabod i orau. Ystum y sguthan mewn ioga. Picnics. Teithiau cwch. Gwylio fy mab yn cael ei eni. Gafael yn fy merch yn y dŵr yn ystod tair eiliad gyntaf ei bywyd. Darllen *The Tiger Who Came to Tea*, a gwneud llais y teigr. Trafod gwleidyddiaeth gyda fy rhieni. *Roman Holiday* (a gwyliau yn Rhufain). Talking Heads. Siarad ar-lein am iselder am y tro cyntaf, a chael ymateb da. Albwm cyntaf Kanye West (dwi'n gwybod, dwi'n gwybod). Canu gwlad (canu gwlad!). The Beach Boys. Gwylio hen gantorion *soul* ar YouTube. Rhestrau. Eistedd ar fainc yn y parc ar ddiwrnod heulog. Cyfarfod fy hoff awduron. Ffyrdd tramor. Coctels rŷm. Neidio i fyny ac i lawr (maen nhw'n cyhoeddi fy llyfr i, maen nhw'n cyhoeddi fy llyfr i, *Iesu Grist, maen nhw'n cyhoeddi fy llyfr i*). Gwylio pob ffilm Hitchcock. Dinasoedd yn pefrio wrth i chi yrru heibio iddyn nhw yn ystod y nos, fel clwstwr o sêr sydd wedi disgyn i'r ddaear. Chwerthin. Ie. Chwerthin mor galed nes ei fod yn brifo. Chwerthin wrth i chi blygu 'mlaen a'ch bol yn dechrau brifo o'r fath bleser, y fath ollyngdod, ac yna pwyso'n ôl, ochneidio'n uchel ac anadlu i mewn yn ddwfn, yn syllu ar y person wrth eich ymyl, gan amsugno pob mymryn o'r llawenydd. Darllen llyfr newydd gan Geoff Dyer. Darllen hen lyfr gan Graham Greene. Rhedeg i lawr bryniau. Coed Nadolig. Paentio waliau tŷ newydd. Gwin gwyn. Dawnsio am dri o'r gloch y bore. Cyffug fanila. Pys wasabi. Jôcs ofnadwy fy mhlant. Gwylio gwyddau a'u cywion ar yr afon. Cyrraedd oed – 35, 36, 37, 38, 39 – na freuddwydiais i erioed y byddwn yn ei gyrraedd. Siarad â ffrindiau. Siarad â dieithriaid. Siarad â chi. Ysgrifennu'r llyfr hwn.

Diolch.

Llyfrau Defnyddiol Eraill

Bad Pharma: How medicine is broken, and how we can fix it,
Ben Goldacre (Fourth Estate, 2012)

Golwg ddadlennol ar y diwydiant fferyllol a'r buddiannau
breintiedig sy'n gysylltiedig ag ef.

Darkness Visible: A Memoir of Madness, William Styron
(Vintage, 2001)

Mae'r clasur o gofiant hwn o 1989, y mae ei deitl yn
cyfeirio at *Paradise Lost,* wedi'i ysgrifennu'n wych ac, o
gofio profiadau'r awdur o dabled cysgu Halcion, yn atgoffa
rhywun o beryglon cymryd y feddyginiaeth anghywir.

The Depths: The Evolutionary Origins of the Depression Epidemic,
Jonathan Rottenberg (Basic Books, 2014)

Yr olwg orau ar iselder o safbwynt esblygiad i mi ddod ar
ei thraws.

Madness and Civilization, Michel Foucault (Routledge
Classics, 2006)

Gwaith dadleuol, ecsentrig, sy'n canolbwyntio mwy ar
gymdeithas na'r meddwl, ond sy'n dal i brocio'r darllenydd.

The Man Who Couldn't Stop: OCD and the true story of a life lost in thought, Dr David Adam (Picador, 2014)

Archwiliad gwych ac, ar adegau, hynod bersonol, o OCD, yn llawn cipolygon craff i'r meddwl.

Making Friends with Anxiety: A warm, supportive little book to ease worry and panic, Sarah Rayner (CreateSpace, 2014)

Cyngor syml a chlir ar sut i dderbyn eich gorbryder.

Mindfulness: A practical guide to finding peace in a frantic world, yr Athro Mark Williams a Dr Danny Penman (Piatkus, 2011)

Mae gan ymwybyddiaeth ofalgar nifer go lew o amheuwyr, ond fel ffordd o atalnodi brawddeg lawn rhuthr eich bywyd, dwi'n credu y gall fod yn ddefnyddiol iawn. Mae hwn yn ganllaw di-lol.

The Noonday Demon: An anatomy of depression, Andrew Solomon (Chatto & Windus, 2001)

Hanes rhyfeddol (ac o bryd i'w gilydd, dychrynllyd) profiad Andrew Solomon o iselder. Mae'n arbennig o dda wrth ymdrin â diagnosis a thriniaeth.

Sane New World: Taming the Mind, Ruby Wax (Hodder, 2014)

Llyfr clir ac addysgiadol, gyda phwyslais cryf ar ymwybyddiaeth ofalgar fel ffordd drwy'r tywyllwch, ac mae mor ddoniol ag y byddech chi'n ei ddisgwyl gan Ruby Wax.

Why Zebras Don't Get Ulcers: The Acclaimed Guide to Stress, Stress-Related Diseases, and Coping, Dr Robert M. Sapolsky (Henry Holt, 2004)

Cipolwg diddorol iawn ar straen a sut mae'n cronni, a'r corff dynol.

Nodyn, a rhai diolchiadau

DYWEDODD WILLIE NELSON unwaith fod yn rhaid i chi weithiau naill ai ysgrifennu cân neu gicio'ch troed drwy ffenest. Y trydydd opsiwn, am wn i, yw ysgrifennu llyfr.

A dwi wedi teimlo'r angen i ysgrifennu'r llyfr *hwn* ers amser hir iawn. Ond dwi hefyd wedi pryderu ynghylch ei ysgrifennu oherwydd ei fod yn bersonol iawn, mae'n amlwg, ac roeddwn i'n poeni y byddai hynny'n peri i mi ail-fyw rhai o'r cyfnodau gwael. Am gryn amser, felly, dwi wedi bod yn ysgrifennu am y profiad yn anuniongyrchol, mewn ffuglen.

Ddwy flynedd yn ôl ysgrifennais lyfr o'r enw *The Humans*. Yn y nofel honno, yn fwy na'r un o'm llyfrau eraill, y gwnes i ymdrin â fy chwalfa fy hun. Yn dechnegol, ffuglen wyddonol draddodiadol oedd y stori – mae creadur estron yn cyrraedd y ddaear ar ffurf ddynol a'i farn am y ddynoliaeth yn newid yn raddol – ond craidd y stori oedd y dieithrio a ddaw yn sgil iselder, a sut y gallwch chi oresgyn hynny a dechrau caru'r byd unwaith eto.

Mewn nodyn ar ddiwedd y llyfr hwnnw, mewn man tebyg i'r dudalen hon, y des i 'allan' yn gyhoeddus a sôn yn gryno iawn am fy mhrofiad fy hun o anhwylder panig ac iselder. Ysgogodd y mymryn hwnnw o onestrwydd ymateb cynnes, a sylweddolais i mi fod yn poeni am ddim byd. Yn hytrach na gwneud i mi deimlo fel rhyw greadur od, roedd siarad yn agored wedi peri i mi sylweddoli cymaint o bobl sy'n cael profiadau tebyg ar ryw adeg neu'i gilydd. Yn union fel nad oes neb ohonon ni gant y cant yn gorfforol iach, does neb gant y cant yn feddyliol iach chwaith. Rydyn ni i gyd ar ryw raddfa.

Rhoddodd hynny'r hyder i mi drafod fy mhrofiadau ymhellach ar-lein. Ond doeddwn i'n dal ddim yn siŵr a fyddwn i byth yn ysgrifennu'r llyfr yma. Y person a ddywedodd wrthyf am wneud oedd yr anhygoel Cathy Rentzenbrink. Mae Cathy'n un o'r cefnogwyr llyfrau mwyaf gwych a deinamig; mae'n canu eu clodydd yn gyson ac – yn yr achos hwn – yn gyfrifol am eu bodolaeth. Hi ddywedodd wrthyf am ysgrifennu llyfr am iselder, a hynny dros bopcorn blas wasabi yn un o fwytai Itsu. Felly dyma fo, Cathy. Gobeithio y byddi di'n ei fwynhau.

Heb olygydd, nid y llyfr *hwn* fyddai'r llyfr hwn. (Prif fantais llyfrau o'u cymharu â bywyd go iawn yw bod modd eu hailddrafftio sawl gwaith, tra bod bywyd, ysywaeth, wastad yn ddrafft cyntaf.) Mae cydnabod eich golygydd yn y diolchiadau yn beth gorfodol i'w wneud, ond hyd yn oed pe na bai hynny'n wir, byddai moeseg a rhesymeg yn mynnu fy mod i'n sôn am y rhan a chwaraeodd Francis Bickmore wrth lunio'r llyfr hwn. Gwnaeth nifer o awgrymiadau a fu o gymorth i mi benderfynu sut i'w ysgrifennu. Yn bennaf, fodd bynnag, roeddwn i'n ddiolchgar o gael golygydd nad oedd yn cael trafferth â natur aml-*genre* y llyfr, na fyddai'n gofyn, 'ai cofiant neu lyfr hunangymorth neu drosolwg sydd gen ti?', ac a fyddai'n berffaith hapus gyda llyfr oedd yn gymysgedd o'r tri pheth.

I mi, mae hynny'n gwneud Canongate yn gyhoeddwyr delfrydol. Dwi'n teimlo y gallaf wneud rhywbeth gwahanol ac, os ydyn nhw'n ei hoffi, maen nhw'n rhoi rhwydd hynt i mi fwrw 'mlaen. Felly mae'n fendith cael bod gyda nhw. Maen nhw wedi rhoi hwb o'r newydd i fy ngyrfa, a dwi'n ddiolchgar i'r chwedlonol Jamie Byng a phawb sy'n gweithio yno (Jenny Todd, Andrea Joyce, Katie Moffat, Jaz Lacey-Campbell, Anna Frame, Vicki Rutherford, Sian Gibson, Jo Dingley a'r criw i gyd) am fentro gyda fi ac am fy nghefnogi yn y fath fodd.

Iawn, mae'n rhaid parhau gyda'r ffrwd orfelys drwy ddiolch i fy asiant, Clare Conville, am ddeall hanfod y llyfr o'r cychwyn cyntaf ac am dawelu fy meddwl pan oeddwn i'n dal i fod yn nerfus iawn yn ei gylch. Mae hi'n berson y byddai unrhyw un yn falch o'i chael o'i blaid, ac roedd hi'n hanfodol wrth lywio *Rhesymau Dros Aros yn Fyw* i'r cyfeiriad cywir.

Diolch hefyd i bawb sydd wedi fy helpu a'm cefnogi i a fy ysgrifennu mewn amryfal ffyrdd dros y blynyddoedd. Tanya Seghatchian, Jeanette Winterson, Stephen Fry, SJ Watson, Joanne Harris, Julia Kingsford, Natalie Doherty, Annie Eaton, Amanda Craig, Caradoc King, Amanda Ross, a llawer, llawer mwy. Diolch hefyd i'r llyfrwerthwyr hynny rwyf wedi eu cyfarfod ac sydd wedi mynd yr ail filltir er fy mwyn. Un amlwg sy'n haeddu ei henwi yw Leilah Skelton, o gangen Waterstones Doncaster, a aeth ati i baratoi jariau o fenyn cnau mwnci a bathodynnau arbennig er clod i *The Humans*. Hefyd i bawb ar Facebook a Twitter sydd wedi helpu i ledaenu'r gair, yn enwedig y trydarwyr hynny a gyfrannodd at y bennod #rhesymaudrosarosynfyw.

Mae fy nheulu wedi bod yn agored ac yn gariadus erioed. Diolchaf iddyn nhw am fy nghadw rhag suddo ac am fod yn hollol gefnogol i mi wrth i mi ysgrifennu'r llyfr hwn. Felly diolch di-ben-draw a chariad mawr fel erioed i Mam, Dad a Phoebe, heb sôn am Freda, Albert, David a Katherine. Diolch am fod yn rhwyd ddiogelwch i mi. Dwi'n eich caru un ac oll.

Diolch i Lucas a Pearl, am roi cant a mil o resymau i mi bob dydd.

Ac wrth gwrs, Andrea. Am bopeth.

Cydnabod caniatâd

GWNAED POB YMDRECH i olrhain deiliaid hawlfraint a sicrhau eu caniatâd i ddefnyddio deunydd hawlfraint. Mae'r cyhoeddwr yn ymddiheuro am unrhyw wallau neu hepgoriadau, a byddai'n ddiolchgar pe bai'n cael gwybod am unrhyw gywiriadau y dylid eu hymgorffori mewn argraffiadau newydd o'r llyfr hwn yn y dyfodol.

Mae'r dyfyniadau canlynol wedi eu trosi i'r Gymraeg:

CEISIO HELP GYDA PHROBLEM IECHYD MEDDWL

Canllaw i'ch helpu i gymryd y camau cyntaf, gwneud penderfyniadau gyda'r wybodaeth angenrheidiol a sicrhau'r gefnogaeth gywir i chi.

Sut ydw i'n cymryd y camau cyntaf?
Mae ceisio help gyda phroblem iechyd meddwl yn gallu bod yn gam pwysig iawn tuag at wella ac aros yn well, ond gall fod yn anodd gwybod ble i ddechrau ac at bwy i droi.

Pryd mae hi'n iawn i holi am help?
Profiad cyffredin yw teimlo'n ansicr ynglŷn â cheisio cymorth ar gyfer eich iechyd meddwl, a theimlo y dylech chi aros tan na allwch chi ymdopi ar eich pen eich hun. Ond **mae hi wastad yn iawn i chi geisio cymorth** – hyd yn oed os nad ydych chi'n siŵr eich bod chi'n profi problem iechyd meddwl benodol.

Dyma rai o'r rhesymau dros ddewis ceisio cymorth:
- cael trafferth ymdopi â'ch meddyliau a'ch teimladau.
- meddyliau a theimladau'n effeithio ar eich bywyd bob dydd.
- eisiau gwybod pa gymorth sydd ar gael.

Gyda phwy alla i siarad?

Y man cychwyn gorau, fel arfer, yw siarad â gweithiwr proffesiynol ym maes gofal iechyd, fel eich meddyg teulu (neu ymarferydd cyffredinol).

Gall eich meddyg teulu:

- wneud diagnosis.
- cynnig cymorth a thriniaeth i chi.
- eich cyfeirio at wasanaeth arbenigol.

Beth ddylwn i ei ddweud wrth fy meddyg teulu?

Gall fod yn anodd gwybod sut i siarad â'ch meddyg am eich iechyd meddwl – yn enwedig pan nad ydych chi'n teimlo'n dda. Ond mae'n bwysig cofio nad oes ffordd anghywir o sôn wrth bobl sut rydych chi'n teimlo.

Dyma rai pethau i'w hystyried:

- **Byddwch yn onest ac yn agored.**
- **Canolbwyntiwch ar sut rydych chi'n teimlo**, yn hytrach nag ar ba ddiagnosis a all fod yn addas.
- Ceisiwch esbonio sut rydych chi wedi bod yn teimlo **dros y misoedd neu'r wythnosau diwethaf**, ac unrhyw beth sydd wedi newid.
- **Defnyddiwch eiriau a disgrifiadau sy'n teimlo'n naturiol i chi** – does dim rhaid dweud pethau penodol er mwyn cael help.
- **Ceisiwch beidio â phoeni bod eich problem chi'n rhy fach** neu'n rhy ddibwys – mae pawb yn haeddu cymorth ac mae eich meddyg yno i'ch cefnogi chi.

Sut alla i baratoi?

Mae apwyntiadau gyda meddyg teulu yn fyr iawn fel arfer, ac os ydych chi'n teimlo'n nerfus mae'n bosib y byddwch yn anghofio sôn am rai pethau sy'n bwysig i chi. Gall paratoi ymlaen llaw eich helpu i wneud yn siŵr eich bod yn manteisio i'r eithaf ar eich apwyntiad.

Dyma rai awgrymiadau:

- **Cofnodwch ar bapur yr hyn rydych chi eisiau ei ddweud ymlaen llaw**, ac ewch â'ch nodiadau gyda chi.
- **Caniatewch ddigon o amser i gyrraedd eich apwyntiad**, fel nad oes rhaid i chi ruthro a theimlo dan straen.
- **Os ydych chi'n teimlo'n nerfus, rhowch wybod i'ch meddyg.**
- **Ystyriwch fynd â rhywun gyda chi** i'ch cefnogi, fel ffrind agos neu aelod o'r teulu.
- Os ydych chi wedi trafod eich teimladau â pherthnasau neu ffrindiau, **ceisiwch ymarfer beth rydych chi am ei ddweud wrth eich meddyg** gyda nhw.
- **Uwcholeuwch neu argraffwch unrhyw wybodaeth** rydych chi wedi ei darllen sy'n eich helpu i egluro sut rydych chi'n teimlo.
- Os oes gennych chi sawl peth sydd angen eu trafod, gallwch **ofyn am apwyntiad hirach** (bydd angen gwneud hyn pan fyddwch chi'n trefnu'r apwyntiad).

CYSYLLTIADAU DEFNYDDIOL

Mind Cymru

Mind yw prif elusen iechyd meddwl Cymru a Lloegr. Maen nhw'n darparu cyngor a chefnogaeth i unrhyw un sy'n profi problem iechyd meddwl. Maen nhw'n ymgyrchu i wella gwasanaethau, codi ymwybyddiaeth a hyrwyddo dealltwriaeth.

P'un a ydych chi dan straen, yn teimlo'n isel neu mewn argyfwng, fe fyddan nhw'n gwrando, yn cynnig cymorth a chyngor, ac yn ymladd drosoch.

Ffoniwch linell wybodaeth Mind ar 0300 123 3393 neu swyddfa Mind Cymru ar 029 2039 5123. Defnyddiwch eu gwasanaeth testun: 86463, e-bostiwch info@mind.org.uk, neu ewch i'w gwefan www.mind.org.uk./about-us/mind-cymru-cymraeg.

Rethink Mental Illness

Elusen yw Rethink Mental Illness sy'n credu bod bywyd gwell yn bosib i bobl sy'n cael eu heffeithio gan salwch meddwl. Am dros ddeugain mlynedd, maen nhw wedi dod â phobl ynghyd i gefnogi'i gilydd. Maen nhw'n cynnal gwasanaethau a grwpiau cymorth sy'n newid bywydau pobl, ac maen nhw'n ceisio newid agweddau tuag at salwch meddwl.

Am fwy o wybodaeth a chyngor, ffoniwch 0300 5000 927 neu ewch i www.rethink.org.

Amser i Newid Cymru

Nod yr ymgyrch Amser i Newid / Time to Change yw rhoi terfyn ar y stigma a'r gwahaniaethu sy'n wynebu pobl â phroblemau iechyd meddwl. Caiff y rhaglen ei rhedeg gan elusennau Mind a Rethink Mental Illness, a'i nod yw gweithio gyda phob sector a chymuned i annog sgwrs fwy agored am iechyd meddwl a sicrhau y gall pobl â phroblemau iechyd meddwl fod yn ddinasyddion cyfartal a gweithgar.

Am fwy o wybodaeth ac i gymryd rhan, ewch i www.timetochangewales.org.uk/cy.

Daw'r penodau canlynol o
ddilyniant Matt Haig i'r llyfr hwn,
Notes on a Nervous Planet (Canongate, 2018).

Sgwrs, tua blwyddyn yn ôl

Roeddwn i dan straen.

Roeddwn i'n cerdded o gwmpas mewn cylchoedd yn ceisio ennill dadl ar y rhyngrwyd. Ac roedd Andrea yn edrych arna i. Wel, dwi'n *meddwl* bod Andrea yn edrych arna i. Roedd hi'n anodd dweud, oherwydd roeddwn i'n edrych ar fy ffôn.

'Matt? Matt?'

'Y... ie?'

'Be sy'n bod?' gofynnodd, yn y math o lais anobeithiol sy'n datblygu wedi i chi briodi. Neu wedi i chi fy mhriodi i.

'Dim byd.'

'Rwyt ti heb dynnu dy lygaid oddi ar y ffôn ers awr. Y cyfan wyt ti'n wneud ydy crwydro mewn cylchoedd a cherdded i mewn i'r dodrefn.'

Roedd fy nghalon i'n rasio, ac roedd tyndra yn fy mrest. Ymladd neu ffoi. Roeddwn i wedi fy nghornelu ac yn teimlo dan fygythiad gan rywun ar y rhyngrwyd dros 8,000 o filltiroedd i ffwrdd, rhywun na fyddwn i byth yn ei gyfarfod, ond rhywun a oedd yn dal i lwyddo i ddifetha fy mhenwythnos. 'Mae'n rhaid i fi fynd yn ôl at hwn.'

'Matt, rho'r ffôn i lawr.'

'Dim ond –'

Y drafferth gyda chynnwrf meddyliol yw bod cymaint o

bethau sy'n gwneud i chi deimlo'n well yn y tymor byr yn gwneud i chi deimlo'n waeth yn y tymor hir. Rydych chi'n tynnu'ch sylw eich hun i bob cyfeiriad, er mai'r hyn sydd ei angen yw dod i *adnabod* eich hun.

'Matt!'

Awr yn ddiweddarach, yn y car, trodd Andrea i edrych arna i yn sedd y teithiwr. Doeddwn i ddim ar fy ffôn, ond roeddwn i'n gafael ynddo'n dynn, fel pe bai'n fy nghadw i'n ddiogel, fel lleian yn gafael yn ei llaswyr.

'Matt, wyt ti'n iawn?'

'Ydw. Pam?'

'Rwyt ti'n edrych ar goll. Fel roeddet ti'n arfer edrych, pan...'

Ymataliodd rhag dweud 'pan oeddet ti'n dioddef iselder' ond roeddwn i'n gwybod beth roedd hi'n ei feddwl. Ar ben hynny, roeddwn i'n gallu teimlo gorbryder ac iselder o'm cwmpas. Ddim *yno*, ond yn agos. Bron na allwn gyffwrdd yr atgof ohonyn nhw yn awyrgylch llethol y car.

'Dwi'n iawn,' atebais yn gelwyddog. 'Dwi'n iawn, dwi'n iawn...'

O fewn wythnos roeddwn i'n gorwedd ar y soffa, yn disgyn i grafangau fy unfed pwl o orbryder ar ddeg.

Golygu bywyd

ROEDDWN I'N OFNUS. Allwn i ddim peidio â bod. Ofn yw hanfod gorbryder.

Roedd y bwlch rhwng y pyliau'n mynd yn llai ac yn llai, a minnau'n poeni am ben y daith. Ymddangosai nad oedd terfyn i anobaith.

Ceisiais godi fy hun allan ohono drwy dynnu fy sylw oddi arno. Fodd bynnag, gwyddwn o brofiad blaenorol nad troi at alcohol oedd yr ateb. Felly, fe wnes i'r pethau hynny a oedd wedi fy helpu i ddod allan o dwll yn y gorffennol. Y pethau hynny dwi'n anghofio eu gwneud yn fy mywyd beunyddiol. Bod yn ofalus o'r hyn dwi'n ei fwyta. Ioga. Ceisio myfyrio. Gorwedd ar y llawr, rhoi fy llaw ar fy stumog ac anadlu'n ddwfn – i mewn, allan, i mewn, allan – a sylwi ar rythm herciog fy anadl.

Ond roedd popeth yn anodd. Fe fyddai hyd yn oed dewis beth i'w wisgo yn y bore yn ddigon i wneud i mi grio. Doedd y ffaith i mi deimlo fel hyn o'r blaen ddim yn gwneud gwahaniaeth. Mae dolur gwddf yr un mor boenus er eich bod wedi'i gael o'r blaen.

Ceisiais ddarllen, ond roedd yn anodd canolbwyntio.

Gwrandewais ar bodlediadau.

Gwyliais raglenni newydd ar Netflix.

Treuliais amser ar y cyfryngau cymdeithasol.

Ceisiais gadw trefn ar fy ngwaith drwy ateb fy holl e-byst.

Deffroais a gafael yn dynn yn fy ffôn, a gweddïo y byddai rhywbeth a welwn arno yn ddigon i weddnewid y sefyllfa.

Ond – rhybudd rhag blaen – wnaeth dim byd weithio. Dechreuais deimlo'n waeth. A dweud y gwir, roedd rhai o'r amryfal ddulliau oedd gen i o dynnu fy sylw yn gwneud pethau'n waeth. Fel y soniodd T. S. Eliot yn *Four Quartets*, roedd y tynnu sylw'n tynnu sylw oddi wrth y tynnu sylw.

Fe fyddwn yn syllu ar e-bost a oedd heb ei ateb, gyda theimlad o arswyd, a methu â'i ateb. Yna ar Twitter, fy hoff ddull digidol o dynnu fy sylw, sylwais ar fy ngorbryder yn dwysáu. Byddai hyd yn oed symud yn oddefol ar hyd fy llinell amser yn teimlo fel agor hen glwyf.

Darllenwn wefannau newyddion – dull arall o dynnu sylw – ond roedd hynny'n ormod i fy meddwl gwan. Wnaeth gwybod fod cymaint o ddioddefaint yn y byd ddim oll i roi fy mhoen i mewn persbectif. Y cyfan a wnaeth oedd gwneud i mi deimlo'n ddi-rym. A phathetig, am fod fy ngwae anweledig yn fy mharlysu i'r fath raddau pan oedd cymaint o wae *gweledol* yn y byd. Dyma fy anobaith yn dwysáu.

Felly penderfynais wneud rhywbeth.

Datgysylltais.

Dewisais beidio ag edrych ar y cyfryngau cymdeithasol am ychydig ddyddiau. Gosodais neges ymateb awtomatig i fy e-byst. Rhoddais y gorau i wylio a darllen y newyddion. Wnes i ddim gwylio'r teledu. Wnes i ddim gwylio fideos cerddorol. Wnes i ddim hyd yn oed edrych ar gylchgronau.

(Yn ystod fy chwalfa gyntaf, flynyddoedd ynghynt, roedd delweddau llachar cylchgronau bob amser yn llenwi fy meddwl â chybolfa garlamus o liw wrth i mi geisio cysgu.)

Gadewais fy ffôn i lawr y grisiau pan fyddwn i'n mynd i'r gwely. Roedd y bwrdd bach wrth ymyl y gwely yn drymlwythog o wifrau a thechnoleg a llyfrau nad oeddwn i'n eu darllen, felly fe gliriais bopeth o'r fan honno hefyd.

Yn y tŷ, ceisiais orwedd mewn tywyllwch gymaint ag y gallwn, fel y byddech chi wrth geisio ymdopi â meigryn. Ers fy salwch hunanddinistriol cyntaf pan oeddwn i yn fy ugeiniau, roeddwn i wedi dod i ddeall fod gwella yn gofyn am olygu fy mywyd mewn rhyw ffordd.

Cael gwared â phethau.

Fel y dywed Fumio Sasaki, un o bleidwyr minimalistiaeth, 'mae hapusrwydd ynghlwm wrth gael llai'. Yn nyddiau cynnar fy mhrofiad cyntaf o banig, yr unig bethau wnes i droi cefn arnyn nhw oedd alcohol a sigaréts a choffi cryf. Bellach, flynyddoedd yn ddiweddarach, gallwn weld bod y broblem yn ymwneud â gorlwytho mwy cyffredinol.

Gorlwytho bywyd ei hun.

Ac yn sicr, gorlwytho technolegol. Yr unig dechnoleg oedd â rhan yn yr adferiad diweddaraf hwn – heblaw am y car a'r popty – oedd fideos ioga ar YouTube, a'u gwylio gyda'r sgrin ar ei lleiaf llachar.

Wnaeth y gorbryder ddim diflannu'n wyrthiol. Wrth gwrs na wnaeth o.

Yn wahanol i fy ffôn clyfar, does dim botwm i ddiffodd y pŵer gan orbryder.

Ond fe wnes i stopio *teimlo'n waeth*. Fe wnes i gyrraedd rhyw dir gwastad. Ac ar ôl rhai dyddiau, dechreuodd pethau dawelu.

Cyrhaeddais ddechrau'r llwybr at wellhad ynghynt yn hytrach na gynhwyrach. Ac roedd ymwrthod â symbylyddion – nid dim ond alcohol a chaffein, ond y pethau eraill hyn – yn rhan o'r broses. Mewn gair, dechreuais deimlo'n rhydd unwaith eto.

Sut daeth y llyfr hwn i fod

MAE'R RHAN FWYAF o bobl yn gwybod bod effeithiau corfforol gan y byd cyfoes. Fod agweddau ar fywyd modern, er gwaetha'r camau mawr ymlaen, yn beryglus i'n cyrff. Damweiniau ceir, smygu, llygredd aer, byw'n gaeth i'r soffa, pitsa parod, ymbelydredd, y pedwerydd gwydraid hwnnw o Merlot.

Mae peryglon ynghlwm wrth fod o flaen cyfrifiadur, hyd yn oed. Eistedd drwy'r dydd, dioddef anaf straen ailadroddus. Fe ddywedodd optegydd wrthyf unwaith mai syllu ar sgrin oedd wedi achosi'r haint yn fy llygad a'r rhwystr yn y ddwythell ddagrau. Mae'n debyg ein bod ni'n cau'n hamrannau'n llai aml wrth weithio ar gyfrifiadur.

Felly, yn union fel mae iechyd corfforol a meddyliol yn cydblethu â'i gilydd, oni ellid dweud yr un peth am y byd cyfoes a'n cyflyrau meddyliol? Onid yw hi'n bosib fod agweddau ar sut rydyn ni'n byw yn y byd cyfoes yn gyfrifol am sut rydyn ni'n *teimlo* yn y byd cyfoes?

Nid yn unig o safbwynt *stwff* bywyd cyfoes, ond ei werthoedd hefyd. Y gwerthoedd hynny sy'n peri i ni fod eisiau mwy nag sydd gennym ni. A rhoi mwy o bwys ar weithio na chwarae. Cymharu'r rhannau gwaethaf ohonon ni'n hunain â rhannau gorau pobl eraill. Teimlo rhyw *ddiffyg* o hyd.

O ddydd i ddydd, wrth i mi wella, dechreuais gael syniad am lyfr – y llyfr hwn.

Roeddwn i wedi trafod fy iechyd meddwl eisoes yn *Rhesymau Dros Aros yn Fyw*. Ond nid *pam ddylwn i aros yn fyw?* oedd y cwestiwn bellach, ond cwestiwn ehangach: *sut allwn ni fyw mewn byd gwallgof heb fynd yn wallgof ein hunain?*

Newyddion o blaned nerfus

Wrth i mi ddechrau ymchwilio, chymerodd hi fawr o amser i mi ddod o hyd i benawdau sy'n hawlio'r sylw ar gyfer oes sy'n hawlio'r sylw. Wrth gwrs, bron nad yw'r newyddion wedi'i *fwriadu* i beri straen i ni. Pe bai wedi'i fwriadu i'n tawelu ni, ioga fyddai o. Neu gi bach. Felly mae rhyw eironi ynglŷn â chwmnïau newyddion yn adrodd am orbryder ac yn ein gwneud ni'n orbryderus wrth wneud hynny.

Beth bynnag, dyma rai o'r penawdau:

STRAEN A'R CYFRYNGAU CYMDEITHASOL YN BWYDO ARGYFWNG IECHYD MEDDWL YMHLITH MERCHED (*The Guardian*)

UNIGRWYDD CRONIG YN EPIDEMIG CYFOES (*Forbes*)

GALL FACEBOOK 'EICH GWNEUD CHI'N DDIGALON', YN ÔL FACEBOOK (*Sky News*)

'CYNNYDD MAWR' MEWN HUNAN-NIWEIDIO YMHLITH POBL IFANC YN EU HARDDEGAU (BBC)

STRAEN YN Y GWEITHLE YN EFFEITHIO AR 73% O WEITHWYR (*The Australian*)

BEIO CYNNYDD SYLWEDDOL MEWN ANHWYLDERAU BWYTA AR ORMOD O SYLW I GYRFF SELÉBS (*The Guardian*)

HUNANLADDIAD AR Y CAMPWS A PHWYSAU PERFFEITHRWYDD (*The New York Times*)

CYNNYDD SYDYN MEWN STRAEN YN Y GWEITHLE (*Radio New Zealand*)

A FYDD ROBOTIAID YN DWYN SWYDDI EIN PLANT? (*The New York Times*)

STRAEN, GELYNIAETH AR GYNNYDD YN YSGOLION UWCHRADD AMERICA YN YSTOD CYFNOD TRUMP (*The Washington Post*)

MAGU PLANT YN HONG KONG I RAGORI, NID I FOD YN HAPUS (*South China Morning Post*)

GORBRYDER DIFRIFOL: MWY A MWY O BOBL YN TROI AT GYFFURIAU ER MWYN YMDOPI Â STRAEN (*El País*)

BYDDIN O THERAPYDDION I FYND I'R AFAEL AG EPIDEMIG O ORBRYDER MEWN YSGOLION (*The Telegraph*)

YDY'R RHYNGRWYD YN RHOI ADHD I NI I GYD? (*The Washington Post*)

'GELLIR HERWGIPIO EIN MEDDYLIAU': CARFAN FEWNOL YM MYD TECHNOLEG YN BRYDERUS AM DDYSTOPIA FFONAU CLYFAR (*The Guardian*)

POBL IFANC YN EU HARDDEGAU YN FWY GORBRYDERUS AC ISEL EU HYSBRYD (*The Economist*)

INSTAGRAM YW'R AP CYMDEITHASOL GWAETHAF I IECHYD MEDDWL POBL IFANC (CNN)

PAM MAE CYFRADDAU HUNANLADDIAD YN CODI MOR SYDYN AR DRAWS Y BLANED? (AlterNet)

Fel y dywedais, mae'n eironig fod darllen y newyddion am bethau sy'n ein gwneud ni'n orbryderus ac yn isel ein hysbryd yn ein gwneud ni'n orbryderus o ddifri, ac mae hynny'n dweud cymaint â'r penawdau eu hunain.

Nid nod y llyfr hwn yw dweud bod popeth yn drychinebus a'i bod hi ar ben arnon ni. Mae gennym ni Twitter ar gyfer hynny. Na. Nid y nod chwaith yw datgan bod gan y byd cyfoes broblemau cyson waeth nag o'r blaen. Mewn rhai ffyrdd penodol, mae pethau'n gwella'n sylweddol. Yn ôl ffigurau Banc y Byd, mae nifer y bobl ledled y byd sy'n byw mewn caledi economaidd difrifol yn disgyn yn sylweddol, gyda dros biliwn o bobl wedi symud allan o dlodi eithafol yn ystod y 30 mlynedd diwethaf. A meddyliwch am y miliynau o blant ym mhedwar ban byd sydd yn dal yn fyw diolch i frechiadau. Fel y nododd Nicholas Kristof mewn erthygl yn y *New York Times* yn 2017, 'os mai'r peth gwaethaf oll all ddigwydd yw rhiant yn colli plentyn, mae hynny hanner mor debygol nawr ag ym 1990'. Felly er gwaetha'r trais a'r anoddefgarwch a'r anghyfiawnder economaidd ymhlith ein rhywogaeth, mae – ar lefel fyd-eang – resymau hefyd am falchder a gobaith.

Y broblem yw bod pob oes yn gosod cyfres o heriau unigryw a chymhleth. A thra bod rhai pethau wedi gwella, dydy hynny ddim yn wir am bopeth. Mae yna anghydraddoldeb o hyd. Ac mae rhai problemau newydd wedi ymddangos. Mae pobl yn aml yn byw mewn ofn, neu'n teimlo'n annigonol, neu hyd yn oed yn hunanddinistriol pan mae ganddyn nhw – ar lefel faterol – fwy nag erioed.

Dwi hefyd yn ymwybodol iawn nad yw'r arferiad cyffredin o bennu rhestr o fanteision bywyd cyfoes, fel iechyd ac addysg a chyfartaledd incwm, yn helpu dim. Mae fel dweud y drefn wrth rywun ag iselder gan ddweud wrtho am gyfri'i fendithion am nad oes neb wedi marw. Mae'r llyfr hwn yn ceisio cydnabod bod yr hyn rydyn ni'n ei deimlo yr un mor bwysig â'r pethau sydd gennym ni. Bod lles meddyliol yn cyfrif lawn cymaint â lles corfforol – yn wir, ei fod yn rhan o les corfforol. Ac i'r perwyl hwnnw, fod rhywbeth yn mynd o chwith.

Os yw'r byd cyfoes yn gwneud i ni deimlo'n wael, yna fydd yr holl fanteision yn cyfri dim, oherwydd mae teimlo'n wael yn afiach. A theimlo'n wael pan fydd rhywun yn dweud wrthyn ni nad oes rheswm dros fod felly, wel, mae hynny'n waeth fyth.

Dwi eisiau i'r llyfr hwn osod cyd-destun ar gyfer yr holl benawdau llawn straen, ac edrych ar sut i amddiffyn ein hunain mewn byd o banig posib. Oherwydd, beth bynnag arall sydd o'n plaid ni, mae ein meddyliau yn dal yn fregus. Mae'r ffigurau'n dangos bod llawer o broblemau iechyd meddwl ar gynnydd, ac – os ydyn ni'n credu bod ein lles meddyliol yn bwysig – mae angen i ni edrych ar y rhesymau posib dros y newidiadau hyn, a hynny ar fyrder.

Dydy problemau
iechyd meddwl ddim yn:

Achos sy'n chwilio am gefnogwyr.

Ffasiynol.

Chwiw.

Tuedd ymhlith selébs.

Canlyniad i ymwybyddiaeth ehangach o broblemau iechyd
meddwl.

Bob amser yn hawdd eu trafod.

Yr un peth ag y buon nhw erioed.

'Yin' a 'Yang'

Felly, mae'n fater o ddau realiti.

Mae'n wir fod gan nifer fawr ohonon ni, yn y byd datblygedig, lawer i fod yn ddiolchgar amdano. Y tebygrwydd y byddwn ni'n byw'n hŷn, y gostyngiad mewn marwolaethau ymhlith babanod, y ffaith fod bwyd a lloches ar gael, diffyg rhyfeloedd byd-eang pellgyrhaeddol. Rydyn ni wedi mynd i'r afael â llawer o'n hanghenion corfforol sylfaenol. Mae cymaint ohonon ni'n byw ein bywydau beunyddiol yn gymharol ddiogel, gyda tho uwch ein pennau a bwyd yn ein boliau. Ond ar ôl datrys rhai problemau, a oes problemau eraill ar ôl? A ddaeth rhai datblygiadau cymdeithasol â phroblemau eraill yn eu sgil? Do, wrth gwrs.

Mae'n teimlo weithiau fel petaen ni, dros dro, wedi datrys problem prinder ac wedi cyflwyno problem gormodedd yn ei lle.

Ble bynnag yr edrychwn ni, mae pobl yn ceisio newid eu ffordd o fyw drwy gael gwared ar bethau. Deiet yw'r enghraifft amlycaf o'r awydd hwn i gyfyngu, ond meddylier hefyd am y tueddiad i bennu misoedd cyfan o'r flwyddyn ar gyfer figaniaeth neu sobrwydd, a'r awydd cynyddol am 'ddadwenwyno digidol'. Mae'r cynnydd mewn ymwybyddiaeth ofalgar, myfyrio a byw'n syml yn ymateb gweledol i ddiwylliant gorlwythog. Yn 'yin' i 'yang' cythryblus bywyd yn yr unfed ganrif ar hugain.

Chwalfa

Wrth i mi adael y pwl diweddaraf o orbryder y tu ôl i mi, dechreuais simsanu.

Efallai fod hyn yn syniad gwirion.

Dechreuais feddwl a oedd mwydro am *broblemau* yn syniad da. Ond yna fe gofiais fod *peidio* â thrafod problemau yn broblem ynddi'i hun. Dyna sy'n achosi i bobl ddioddef chwalfa yn eu swyddfa neu yn eu hystafell ddosbarth. Dyna sy'n llenwi unedau gorddibyniaeth ac ysbytai ac yn rhoi hwb i ffigurau hunanladdiad. Yn y pen draw, penderfynais fod gwybod y pethau hyn yn hanfodol i mi. Dwi eisiau dod o hyd i resymau dros fod yn gadarnhaol a ffyrdd o fod yn hapus, ond cyn hynny mae'n rhaid i chi fod yn ymwybodol o realiti'r sefyllfa.

Er enghraifft, yn bersonol, fe hoffwn i wybod pam mae gen i ofn *arafu*, fel y bws yn y ffilm *Speed* a fyddai'n ffrwydro pe bai'n arafu dan 50 milltir yr awr. Dwi eisiau deall a yw fy nghyflymder i yn ymwneud â chyflymder y byd.

Mae'r rheswm yn syml, ac yn rhannol hunanol. Mae gen i ofn ble bydd fy meddwl i'n mynd, achos dwi'n gwybod ble mae o wedi bod eisoes. Dwi hefyd yn deall bod fy ffordd o fyw yn rhannol gyfrifol am fy iechyd yn ystod fy ugeiniau. Yfed trwm, diffyg cwsg, deisyfu bod yn rhywun nad oeddwn i, a phwysau'r gymdeithas ehangach. Dydw i byth eisiau mynd yn ôl i'r lle hwnnw, felly mae angen i mi fod yn effro, nid yn unig i ble mae straen yn gallu arwain pobl, ond hefyd o ble mae'n tarddu. Dwi eisiau gwybod ai un o'r rhesymau dwi'n teimlo weithiau fy mod ar fin dioddef chwalfa yw, yn rhannol, y ffaith fod y byd yn ymddangos weithiau fel pe bai ar fin dioddef chwalfa.

Mae chwalfa, neu 'breakdown' yn Saesneg, yn air amhenodol, ac mae'n bosib mai dyna pam y mae gweithwyr meddygol proffesiynol yn ei osgoi y dyddiau hyn. Ond yn ei hanfod, rydyn ni'n deall beth mae'n ei gyfleu. Mae'r geiriaduron yn ei ddiffinio fel 'methiant peirianyddol' ac fel 'methiant perthynas neu system'.

Does dim rhaid i chi edrych yn ofalus iawn i weld arwyddion rhybudd chwalfa, nid yn unig oddi mewn i ni'n hunain, ond yn y byd yn ehangach hefyd. Efallai fod dweud bod y blaned ar ei ffordd tuag at chwalfa yn swnio'n ddramatig. Ond rydyn ni'n gwybod y tu hwnt i amheuaeth fod y byd yn newid mewn pob math o ffyrdd – yn dechnolegol, yn amgylcheddol, yn wleidyddol. A hynny'n gyflym. Felly mae arnon ni angen gwybod, fwy nag erioed, sut i olygu'r byd fel nad yw byth yn creu chwalfa ynom ni.